किचिन में जाने से पहले रोज इस पुस्तक को अवश्य पढ़ें
पुस्तक में दिए गए टिप्स अपनाकर आप साधारण गृहिणी
से किचिन क्वीन बन सकती हैं।

किचिन क्वीन टिप्स

▲ डॉ. राजकुमारी गुप्ता
(प्राकृतिक चिकित्सक)

:: प्रकाशक ::

P·B·D

पापुलर बुक डिपो
जयपुर

प्रकाशकः
पापुलर बुक डिपो
जी–15, धमाणी गली, चौड़ा रास्ता,
जयपुर–302003 (राज.)
Phones: 0141-2325965, 9829089555
email: pbdjpr@rediffmail.com
www.pbdbooks.com

© प्रकाशक

प्रथम संस्करण, 2012

मूल्य : ₹ 100.00

ISBN : 978-81-902054-5-0

9 788190 205450

ME THE QUEEN OF KITCHEN

भूमिका

रसोईघर घर का सबसे महत्वपूर्ण हिस्सा माना जाता है। रसोई महिलाओं की सबसे पसंदीदा जगह भी होती है क्योंकि उनका सबसे ज्यादा समय रसोईघर में ही बीतता है। भोजन बनाने के परम्परागत तरीके में कुछ परिवर्तन करने से भोजन को स्वादिष्ट व सुगन्धमय बनाया जा सकता है। खाना बनाते समय, पुस्तक के अन्तर्गत बताई गई छोटी–छोटी बातों को ध्यान में रखने से, आप भोजन को सुस्वादु एवं अधिक पौष्टिक बना सकती हैं।

भोजन बनाते समय ध्यान देने योग्य बातें

- ❖ गैस या स्टोव ऐसा प्रयोग करें जिसमें आँच आसानी से कम या तेज किया जा सके।
- ❖ रसोई में इस्तेमाल आने वाले कपड़े या बर्तनों को साफ रखें व पानी ढककर रखें।
- ❖ सब्जियों को काटने से पहले साफ पानी से धोकर काटें।
- ❖ दाल–चावल बनाने से पहले कुछ देर पानी में भिगायें।
- ❖ दाल या सब्जी में टमाटर, खटाई या शक्कर डालनी हो तो पकने के बाद ही डालें। पहले डालने से वे अच्छी तरह गलेगी नहीं या देर से गलेगी।
- ❖ किशमिश, पिस्ता, छुहारा, केसर आदि काम में लेना हो तो थोड़ी देर पहले पानी में भिगो दें। काजू, पिस्ता, बादाम डालना हो तो पहले से काटकर रख लें।
- ❖ काबुली चना व राजमा को बनाने से 8-10 घण्टे पहले भिगो दें।
- ❖ खटाई वाले खाद्य पदार्थ बनाने के लिए स्टील या कलई किए हुए बर्तनों का इस्तेमाल करें। अन्यथा तैयार की गई सब्जियाँ खराब हो जायेंगी।
- ❖ कुकर में सब्जी बनाने के बाद स्टील के बर्तनों में निकाल लेनी चाहिये। खटाई वाली चीजें उसमें पड़ी रहने से खराब हो जाती हैं।
- ❖ शर्बत, जैम, सॉस, मुरब्बा को तैयार करने के 10-15 दिन बाद ही प्रयोग करना चाहिये।
- ❖ सूप हमेशा तेज गर्म ही परोसें, ठण्डा होने पर उसका स्वाद व आकर्षण नष्ट व खराब हो जाता है।
- ❖ सलाद के लिए हमेशा ताजा सब्जी व फल का प्रयोग करें। सलाद को ठण्डा करके परोसें जिससे वह सुन्दर व आकर्षक लगेगी।
- ❖ दही या रायता स्टील या मिट्टी के बर्तन में ही बनायें। परोसते समय ही नमक डालें। पहले से नमक डालकर रखने से रायता खट्टा हो जाता है।
- ❖ भोजन टेबल पर लगाना भी एक कला है। सुन्दर तरीके से लगाया गया भोजन स्वादिष्ट व आकर्षक लगता है। टेबिल या कमरा फूलों से सजायें।
- ❖ रसोई घर की इन छोटी–छोटी बातों को ध्यान में रखा जाये तो आप भी बन जाएंगी एक साधारण गृहिणी से अपने परिवार की 'किचिन क्वीन'।

–लेखिका

विषय-सूची

रोटी, पूरी, पराठे, बाटी

1

रोटी

★ गेहूँ के आटे को रोटी बनाने से करीब आधा घण्टा पहले गूँथ लें ताकि उसके कण मिल जायें और आटे में लोच आ जाए।

★ आटा ज्यादा बारीक न पिसवायें, इससे बहुत से पौष्टिक तत्व नष्ट हो जाते हैं। आटे को छानकर उसमें से चोकर न निकालें क्योंकि चोकर में गेहूँ के उपयोगी तत्व विटामिन व लवण निहित होते हैं जो मस्तिष्क, रक्त तथा हृदय के लिए आवश्यक हैं। चोकर से कब्ज की शिकायत नहीं होती।

★ गेहूँ पिसवाते समय उसमें थोड़ा मेथीदाना, मूँग की दाल, सोयाबीन, राई, जौ या काले चने डाल दें, इससे रोटियाँ बहुत पौष्टिक व स्वादिष्ट होंगी।

★ गेहूँ के आटे में तेजपत्ता डालकर रखें, ईल्लियाँ नहीं पड़ेंगी।

★ गेहूँ के आटे को दूध से गूँथकर बनायी गई पूरी–पराठा स्वादिष्ट होने के साथ–साथ जल्दी खराब नहीं होते। सफर के लिए उपयोगी है।

★ गेहूँ के आटे में मूँगफली का आटा मिलाकर रोटी बनाने से रोटी पौष्टिक एवं सुपाच्य हो जाती है।

गेहूँ के आटे में थोड़ा-सा चावल का आटा मिलाकर गूँथें तो रोटियाँ हल्की व सुपाच्य बनेंगी

रोटी व पूरी दोनों के लिए आटा गूँथते समय नमक न डालें बल्कि गूँथे हुए आटे पर नमक डालकर दोबारा आटा ठीक कर लें।

★ रोटी की सिकाई बहुत ज्यादा न करें। ज्यादा कड़क सिकाई करने से उसके पौष्टिक तत्व नष्ट हो जाते हैं।

★ रोटियों के कटोरदान या कैसरॉल को बन्द करते समय उसमें एक टुकड़ा अदरक का रख दें। इससे रोटियाँ नरम तथा मुलायम रहेंगी।

★ जिस बर्तन में रोटियाँ रखते हैं उस बर्तन के ऊपर गीला कपड़ा लपेट देने से रोटियाँ मुलायम रहती हैं।

★ नये तवे पर या मँजे तवे पर थोड़ी सी चिकनाई लगाकर कपड़े से पोंछ दें, अब रोटी पराठे चिपकेंगे नहीं।

★ रोटी या पूरियाँ बनाने के लिए आटा गर्म पानी से गूँथें, रोटी-पूरियाँ नरम व मुलायम बनेंगी।

★ चपाती फुलाते समय आँच तेज रखें, तेज आँच की चपातियाँ मुलायम बनती हैं।

★ चपाती बेलते समय पलोथन आटे के बजाय मैदा का लगाएँ, चपातियाँ बेदाग, सुन्दर व सफेद बनेंगी।

★ गर्मियों में आटे में खमीर उठा लें। कलौंजी लगाकर रोटी बेलें, पर सूखे आटे की जगह चिकनाई का प्रयोग करें।

★ कभी-कभी गेहूँ के आटे में पानी के स्थान पर दूध, दही, छाछ, उबला आलू या खूब पके हुए केले को मथकर, आटा गूँथकर रोटी/पराठे बनाएँ। इससे आटा मुलायम रहेगा तथा रोटी/पराठे नरम, मुलायम, पौष्टिक और स्वादिष्ट बनेंगे।

★ गूँथे हुए आटे पर थोड़ा-सा सरसों का तेल लगा देने से तो आटे पर मक्खी-मच्छर नहीं बैठेंगे।

★ गूँथे हुए आटे के ऊपर घी या तेल लगाकर फ्रिज में रखने से आटा काला नहीं पड़ता तथा पपड़ी भी नहीं आती।

★ गूँथे हुए आटे को दूध की पॉलिथिन में डालकर फ्रिज में रखें, आटा नरम रहेगा व साँवला नहीं पड़ेगा।

आटे को चींटियों से बचाने के लिए इसमें एक चुटकी पिसी हल्दी डालें।

- अगर आपको आटा फ्रिज में दो–तीन दिन के लिए रखना हो तो उसमें नमक न डालें। नमक डालने से आटा जल्दी खट्टा हो जाता है।
- खाना बनते ही गरम–गरम खा लेना चाहिये।

पूरी

- पूरियाँ बनाते समय आटे में थोड़ी सी सूजी मिलाकर आटा गूँथ लें तथा पूरियाँ बेलने से पहले आटे में थोड़ी सी पिसी हुई चीनी व नमक मिला लें। पूरियाँ एकदम करारी, फूली हुई और खस्ता बनेंगी।
- आटा या मैदा गूँथते समय दोनों हाथों पर तेल या मक्खन लगा लें। इससे हाथों में आटा या मैदा चिपकेगा नहीं।
- पूरी बेलते समय घी न लगाएँ। घी लगाने से पूरियाँ चकले पर चिपकती है और तलते समय फूलती नहीं। घी की जगह तेल लगाएँ, इससे पूरी बेलते समय चिपकेगी नहीं और तलते समय फूलेगी।
- पूरियाँ बनाते समय घी अच्छा गरम व आँच मध्यम रखें।

पूरियों के आटे में थोड़ा-सा बेसन मिला दें तो पूरियाँ करारी बनेंगी।

- पूरियाँ कुरकुरी बनें, इसके लिए आटे में एक–दो उबली अरबी पीसकर मिला दें।
- पूरी का आटा दही या दूध से गूँथें या आटे में थोड़ा–सा घी या तेल का मोयन डालें। गरम पूरी खाने में खस्ता व रखने पर मक्खन सी मुलायम रहेंगी। कुछ समय तक (1-2 दिन तक) रखने पर खराब नहीं होंगी।
- गरम घी में आम या अमरूद की पत्तियाँ डालकर पूरियाँ तली जाएँ तो उनका रंग सफेद बना रहता है।
- आटे या मैदा में एक–दो चम्मच कॉर्न फ्लोर मिलाने से पूरी, समोसे–कचौरी स्वादिष्ट व कुरकुरे बनते हैं।
- आटे में मोयन देना हो तो तेल गर्म करके हल्का ठण्डा करके डालें।
- जरा से तेल में लहसुन व प्याज भूनें, फटे दूध का छेना, लाल मिर्च, नमक डालकर दो मिनट पकने दें। स्वादिष्ट भरवा पूरी–पराठे बनाएँ।

पराठे

★ फूलगोभी का पराठा बनाते समय गोभी को कद्दू-कस करके घी डालकर भून लें फिर पराठा बनायें। इससे बढ़िया खुशबू आयेगी।

★ मेथी के पराठों को अधिक खस्ता व स्वादिष्ट बनाने के लिए आटे में थोड़ा-सा बेसन मिलाकर खट्टे दही से आटा गूँथें।

★ मेथी के पराठे बनाते समय थोड़ा-सा मक्की का आटा मिलाने से पराठे खस्ता और स्वादिष्ट बनते हैं।

★ मूली के पराठे बनाते समय यदि मूली को कसने के बाद मसालों के साथ थोड़ा-सा बेसन भूनकर मिलायें तो उसका पानी सूख जायेगा और वे स्वादिष्ट भी बनेंगे। अथवा मूली को घिसने के बाद इसका रस निचोड़कर इस रस से आटा गूँथ लें। घिसी मूली में मसाला मिलाकर उसी आटे में भरकर पराठे बनायें।

★ दाल, खिचड़ी व चावल बचने पर इन्हें आटे में गूँथकर नमक, मसाला, हरा धनिया, प्याज, हरी मिर्च डालकर पूरियाँ या पराठे बनाएँ। ये पराठे स्वादिष्ट होने के साथ-साथ पौष्टिक भी होते हैं।

★ रोटी बचने पर इनके छोटे-छोटे टुकड़े करके तल लें व लाल मिर्च, जीरा, पोदीना पाउडर व नमक बुरकें। यह किसी खस्ता नमकीन से कम नहीं लगेंगे।

★ रोटी के टुकड़े करके सुखा दें या ताजा रोटी के ही टुकड़े करके दाल में पकाकर मिक्स वेजीटेबल प्याज में फ्राई कर मसाला डालकर दाल ढोकली बनाएँ।

★ बासी रोटी को छाछ या दही में थोड़ी देर भिगोकर जीरा पोदीना, लाल मिर्च, नमक डालकर खायें, स्वादिष्ट भोजन है।

★ रोटी ज्यादा बन गई हो तो उन्हें तोड़कर सुखा दें। प्याज, हरी मिर्च, टमाटर का छौंक लगाकर रोटी व पानी डालकर गलायें, स्वादिष्ट नाश्ता तैयार है।

★ पराठे बनाते समय चावल के आटे का पलोथन लगाने से पराठा या रोटी मुलायम व फूली हुई बनेगी।

★ भरवाँ पराठे का आटा गूँथते समय उसमें थोड़ा-सा बेसन मिला दें, पराठे खस्ता व स्वादिष्ट बनेंगे।

★ आलू के पराठे बनाने के लिए आलू में थोड़ा-सा ब्रेड का चूरा मिलाने से आलू, पराठे के बाहर नहीं निकलेगा।

★ पराठे, पूरी, रोटी खस्ता व स्वादिष्ट बनाने के लिए आटे को पनीर के पानी से गूँथें।

★ दलिया, मैदा, सूजी व सिंघाड़े के आटे में कीड़े न लगें इसलिए इन्हें बिना घी-तेल के सेंककर रखें।

मूली के पराठे बनाते समय मसाले में एक छोटा सा चम्मच दरदरी अजवाइन डालें तो पराठे ज्यादा जायकेदार बनेंगे।

मक्की, बाजरे की रोटी-पराठा

★ बाजरा, मक्का, मोठ की ठण्डी रोटी को दही या छाछ में भिगोकर राई व मीठे नीम के पत्तों का छौंक लगाकर स्वादिष्ट व्यंजन बनाकर खायें ।

★ मक्की व बाजरे की रोटी चकले पर पॉलीथिन (दूध, घी की खाली थैली) बिछाकर बनाएँ तो रोटी उठाने में आसानी रहेगी ।

★ मक्की का आटा गूँथते समय उसमें पानी की जगह चावल का माँड का प्रयोग करने से रोटी मीठी व नरम व पौष्टिक होती है तथा उसका स्वाद निराला हो जाता है ।

★ मक्की, बाजरे की रोटी की पीठ अगर खूब अच्छी तरह से सेंकी गई हो तो रोटी अवश्य फूलेगी तथा टूटेगी नहीं ।

★ बाजरे के आटे में उबला आलू मिलाने से रोटी का स्वाद बढ़ जाता है ।

★ मक्की व बाजरे के आटे में थोड़ा–सा बेसन मिलाकर रोटी बनाने से रोटी स्वादिष्ट, खस्ता व सुपाच्य हो जायेगी ।

★ मक्की के आटे में मेथी की पत्तियाँ डालकर पराठे बनायें । पराठे बहुत ही स्वादिष्ट बनेंगे ।

बाटी

★ बाटी के आटे में मलाई का मोयन दिया जाये तो बाटी बहुत ही मुलायम, स्वादिष्ट और चिकनी बनेगी ।

★ ठण्डी बाटी या बाफले को एक ढक्कन बन्द डिब्बे में रखकर कुकर में पानी डालकर रख दें और दो सीटी ले लें । ये ताजे हो जायेंगे ।

★ बाटी के आटे में मोयन (घी) आधा ही डालें, आधे मोयन के स्थान पर दही डालकर आटा गूँथें, बाटियाँ खस्ता व स्वादिष्ट बनेंगी ।

★ बाटी व बाफले के आटे में थोड़ा–सा बेसन मिलायें, बाटियाँ स्वादिष्ट बनेंगी ।

❖

मक्की की रोटी बनाते समय आटा गरम पानी से गूँथने पर रोटी बेलने, थपकने में आसानी रहती है ।

2

दही बड़े

★ दही बड़े की पिट्ठी में अगर थोड़ा–सा दही मिलाया जाये तो बड़े नर्म बनते हैं। घी या तेल भी कम सोंखते हैं।

★ उड़द की दाल की पिट्ठी दो–तीन घण्टे फ्रिज में रखने के बाद बड़े बनायें तो वे कुरकुरे व स्वादिष्ट बनेंगे।

★ मूँग व उड़द की दाल बराबर मात्रा में मिलाकर दही बड़े बनाने से दही बड़े ज्यादा स्वादिष्ट और नरम बनते हैं तथा हल्के व जल्दी पचने वाले होते हैं। यकीन न हो तो बनाकर देख लीजिये।

★ दही बड़े हाथ, कपड़े पर फैलाने की जगह पॉलीथिन पर पानी, घी–तेल लगाकर फैलायें। बड़ा जैसा फैलायें वैसा ही उतरेगा।

★ दही बड़े की दाल फेंटते समय थोड़ा–सा चावल का आटा मिला देने से बड़े मुलायम और स्वादिष्ट तो बनते ही है, साथ ही सिकते भी जल्दी हैं और तेल भी कम पीते हैं।

★ उड़द के बड़े बनाते समय उसमें भीगे हुए चावल पीसकर फेंटें। बड़े की ऊपरी परत कुरकुरी तथा मुलायम बनेगी।

★ दही बड़े बनाते समय इसमें थोड़ा–सा कच्चा नारियल कद्दूकस करके मिलाने से दही बड़े अनोखे स्वाद के बनेंगे।

★ बड़े के मिश्रण में थोड़ी सी मैदा मिला दें और फेंटें। इससे बड़े सफेद, गोल व मुलायम व स्वादिष्ट बनेंगे।

उड़द की दाल पीसने के बाद थोड़ी-सी सूजी मिला दें। 'बड़े' ज्यादा खस्ता व कुरकुरे बनेंगे।

दही बड़े में चुटकी भर समुद्र फेन डालने से दही बड़े मुलायम बनते हैं।

★ बड़े की दाल पीसकर 2-3 घण्टे के लिए ढककर रख दें। अब दाल फेंटें। बड़े बहुत ही नर्म बनेंगे।

★ बड़े की दाल महीन पीसें और चम्मच या हाथ से देर तक इतना फेंटें कि दाल फूलकर दुगुनी हो जाये। ऐसी दाल के बड़े खूब फूलते हैं तथा अन्दर से एकदम नर्म होते हैं। मूँग–उड़द, चवला व चावल इनको मिलाकर व अलग–अलग भी बना सकते हैं।

★ दही बड़े का मिश्रण पूरा फिंटा है या नहीं, इसे जानने के लिए एक बूँद घोल पानी में डालें। यदि घोल पानी में तैरे तो समझें कि घोल बड़े बनाने के लिए तैयार है।

★ दही बड़े को शाही अन्दाज देने के लिए इन्हें गुझिया जैसा बनायें, बीच में हरा धनिया, हरी मिर्च, भुना जीरा, किशमिश, काजू, नमक मिलाकर भरावन तैयार कर लें।

★ पिसी मूँग की दाल में ब्रेड के टुकड़े मिलाकर दही बड़े बनाएँ। ये बड़े हल्के व शीघ्र हजम होने वाले बनेंगे।

★ दही बड़े फेंटते समय यदि थोड़ा–सा उबला व मैश किया हुआ आलू मिला दें तो वह हल्के, अधिक मुलायम व स्वादिष्ट बनेंगे।

★ तैयार बड़ों को गुनगुने नमक के पानी में तब तक रखें जब तक वह डूबकर नीचे न बैठ जाएँ।

★ दही बड़ा बनाने के बाद उन्हें पानी में डालने की जगह छाछ में डालें। फिर दही में डालें, ज्यादा स्वादिष्ट बनेंगे।

★ दही बड़े कुरकुरे बनाने के लिए मिश्रण में एक चुटकी बेकिंग पाउडर या सोडा डाल दें।

★ बड़े बनाते समय आँच तेज रखें।

★ कड़ाही में बड़े एक बार में बहुत ज्यादा न डालें, उन्हें फैलने के लिए जगह दें।

दही

★ दही जमाने के लिए जामन की जगह मकराने के पत्थर के 3"×3" का टुकड़ा प्रयोग करें। हर बार वही पत्थर साफ करके जामन के स्थान पर इसे डाल दें। दही चक्केदार जमेगा।

★ जामन न हो तो गर्म दूध में हरी मिर्च या लाल मिर्च डालकर रात भर रख दें। सुबह दही गाढ़ा व स्वादिष्ट, जमा हुआ मिलेगा।

रायते पर 2-3 भुनी हुई लौंग का चूर्ण बुरका दें, रायता स्वादिष्ट बनेगा।

★ दही जमाते समय उसमें थोड़ा-सा चावल का मांड डाल दें तो दही बहुत गाढ़ा जमता है।

★ दही जमाने के लिए भगोने में जामन को हल्के से एक किनारे छोड़ दें। उसे हिलायें मिलाएँ नहीं। दही अधिक गाढ़ा और जल्दी जमेगा तथा खट्टा भी नहीं होगा।

★ दही जमाते समय दूध में थोड़ी सी चीनी (1 कि. दूध में 2 चम्मच चीनी) दूध गरम करते समय डाल दें। इससे दही अच्छा जमता है तथा खट्टा नहीं होता है।

★ दही के पात्र में आवश्यकतानुसार दही निकालने के बाद खाली जगह में पुनः दूध डाल देने से दही पानी नहीं छोड़ता।

★ कढ़ी बनाने के लिए दही खट्टा करने के लिए दही में नमक डालकर रख दें। दही खट्टा हो जायेगा।

★ रायते को अधिक स्वादिष्ट बनाने के लिए इच्छानुसार हींग, राई, जीरा, मीठे नीम का छौंक लगा सकते हैं। यह रायते की खुशबू व स्वाद दोनों को बढ़ा देता है।

★ रायता गाढ़ा हो तो पानी के स्थान पर दूध डालें, स्वाद अच्छा बना रहेगा।

★ दही की लस्सी बनाते समय पानी के स्थान पर दूध डालें, स्वाद दो गुना हो जायेगा।

★ मिक्स वेज रायता बनाते समय उसमें थोड़े अनार के दाने व धनिया पत्ती डालें, स्वाद और पौष्टिकता बढ़ जायेगी।

★ रायते या दही बड़े के दही में एक-दो चम्मच चीनी मिला देने से स्वाद अनूठा हो जाता है।

★ अगर दही खट्टा हो जाये तो इसमें 2 कप पानी डालकर कपड़े में बाँधकर आधे घण्टे के लिए लटका दें। अब इसको पतला करने के लिए पानी के स्थान पर दूध डालें। खट्टापन खत्म हो जायेगा, ताजा दही तैयार है।

★ दही जमाते समय एक या दो बूँद नीबू के रस की डालने से दही अच्छा जमता है।

★ दही बड़े से बचा दही खट्टा हो गया हो तो फेंकें नहीं उसे डोसे के घोल में मिला दें, खमीर जल्दी उठेगा, साथ ही वे नरम भी बनेंगे। इसी दही में सूजी मिलाकर इडली बनायें।

★ दही जमाने से पहले बर्तन में थोड़ी सी फिटकरी रगड़ दें, दही गाढ़ा जमेगा।

★ सर्दियों में चक्केदार दही जमाने के लिए दूध को कैसरॉल में भरकर जमायें।

रायते में एक चम्मच नीबू का रस डालने से स्वाद बढ़ जाता है।

- ★ सर्दियों में दही जमाने के लिए सुबह दूध उबालकर भगोने पर प्लेट ढक दें। उसी प्लेट पर दही जमाने वाला बर्तन रख दें, फिर उस बर्तन के ऊपर एक भगोना ढक दें। 3-4 घण्टे में स्वादिष्ट दही जम जायेगा।
- ★ सर्दियों में दही देर से जमता है इसलिए दही जमाने के बर्तन को स्टेबलाइजर पर रख दें। दही जल्दी जम जाएगा।
- ★ दही जमाने के लिए दूध में संगमरमर के छोटे–छोटे तीन चार टुकड़े डाल दें। दही न जमने की समस्या ही नहीं रहेगी।
- ★ सर्दियों में दही के बर्तन को आटे, गेहूँ या चावल के डिब्बे में 5-6 घण्टे रख दें। चक्केदार दही जम जायेगा।
- ★ रायते में नमक सर्व करते समय ही डालें, इससे रायता खट्टा नहीं होगा।
- ★ एक बड़ी कटोरी रायते में 2-3 चुटकी पिसी अदरक डालें तो स्वाद निराला हो जायेगा।
- ★ कभी दही न जमें तो एक बड़े भगोने में थोड़ा–सा पानी डालकर उबालें। उस भगोने में दही का बर्तन रखकर भगोना ऊपर से ढक दें। दही 30 मिनट में जम जायेगा।
- ★ दही जमाने से पहले बर्तन को उबलते पानी से धोएँ। एक किलो दूध में एक छोटी चम्मच दही का जामन दें। दही चक्के सा जमेगा।
- ★ सर्दियों में दूध ज्यादा गर्म होना चाहिये तथा जामन ज्यादा देना चाहिये और पॉलीथिन की थैली में लपेटकर गर्म स्थान पर रखें। दिन में दही जमायें तो धूप में रखने पर भी दही अच्छा जमता है।

❖

दही ज्यादा खट्टा हो गया हो तो ताजा नारियल के दो-तीन टुकड़े उसमें डालकर आधे घण्टे रखने से दही का खट्टापन दूर हो जायेगा।

दही दो-तीन दिन तक खट्टा नहीं होता।

3

सब्जी

**सब्जी काटने से पहले धोएँ, बाद में नहीं।
वरना पानी के साथ लवण व विटामिन
बह जायेंगे और पौष्टिकता कम
हो जायेगी।**

★ जब भोजन करना हो तभी ताजा सब्जी लायें (ज्यादा सब्जी लाकर फ्रिज में न रखें।) सब्जी तब काटें जब सब्जी बनानी हो, जब भूख लगी हो तभी सब्जी बनायें। अन्यथा दुबारा गर्म करने व बनाकर रखी रहने से स्वाद में फर्क आ जाता है तथा पौष्टिकता भी कम हो जाती है।

★ सब्जी उतनी ही गर्म करें जितनी सर्व करनी हो। बार–बार गर्म करने से खाने के पौष्टिक तत्व खत्म हो जाते हैं तथा स्वाद में भी फर्क आ जाता है।

★ ज्यादा देर से पकने वाली सब्जियों व दालों को प्रेशर कुकर में पकाएँ। भगोने या कड़ाही में पकायें तो ढककर पकायें। बार–बार ढक्कन खोलकर न देखें। इससे उनके पौष्टिक तत्व भाप द्वारा उड़ जाते हैं। ¾ पकने के बाद भी ढक्कन लगा रहने दें तथा गैस बन्द कर दें, जिससे भाप निकलेगी नहीं और सब्जी पूरी तरह पक जायेगी।

★ जिन सब्जियों को छीलने की आवश्यकता नहीं है उन्हें मत छीलिये। सब्जी को पतले से पतला छीलें ताकि सारे न्यूट्रिएंट्स बने रहें क्योंकि छिलके के ठीक नीचे न्यूट्रिएंट्स होते हैं।

★ छौंक लगाते समय हमेशा बर्तन के नाप का ढक्कन पास में रखें। छौंकते ही बर्तन को ढक दें ताकि बघार की सुगन्ध व चिकनाई न उड़े।

★ सब्जियों को नमक या सिरका मिले पानी में आधा घण्टा भिगो दें फिर अच्छे पानी से धो लें। इससे कीटाणुनाशक दवाओं का असर दूर हो जायेगा तथा सब्जियाँ कीटाणु रहित हो जाएँगी।

★ सब्जियों व मसालों का स्वाद तभी आता है जबकि मद्धिम आँच पर भोजन बना हो। इससे गैस की भी बचत होगी।

★ सब्जी पकाते समय सब्जी में पानी कम डालें, ज्यादा पानी डालने से सब्जी देर से गलेगी और पौष्टिकता भी कम हो जायेगी।

★ पकती हुई **फूलगोभी** में नीबू के टुकड़े या थोड़ी शक्कर डाल देने से पकने पर गोभी सफेद रहेगी व टूटने से बच जायेगी।

★ फूल गोभी की सब्जी बनाते समय उसमें 2 बड़े चम्मच दूध या सिरका डालने से सब्जी का रंग खिल उठेगा।

★ फूलगोभी बनाने से पहले उसे फिटकरी के गर्म पानी से धोएँ। यह कीटाणुरहित हो जायेगी तथा गोभी का रंग भी निखर जायेगा।

★ फूलगोभी पकाते समय उसका एक पत्ता उसमें डाल देने से सब्जी का रंग सफेद रहेगा।

पत्तागोभी की सब्जी बनाते समय थोड़ा-सा सिरका व चीनी डालने से सब्जी का रंग स्वाभाविक रहेगा तथा स्वाद भी अनूठा हो जायेगा।

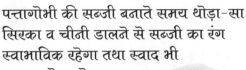

★ **बन्दगोभी** की सब्जी बनाते समय पहले तेल में मेथी डालकर भूनें फिर सब्जी डालें, सब्जी स्वादिष्ट बनेगी।

★ थोड़ा-सा दूध डालकर पत्तागोभी पकाने से उसका रंग सफेद रहता है।

★ सब्जी में टमाटर डालने से वह देर से गलती है, इसलिए बाद में डालें, स्वाद वैसा ही रहेगा।

★ किसी सब्जी में चीनी डालनी है तो सब्जी गलने के बाद डालें, पहले डालने से सब्जी देर से गलेगी।

★ अगर हरी सब्जी का रंग हरा रखना हो तो पकाते समय ½ चम्मच चीनी डाल दें। रंग वैसा ही रहेगा जैसा था।

★ सब्जियों के नेचुरल फ्लेवर बढ़ाने के लिए उन्हें उबालते समय थोड़ा-सा नमक डाल दें।

★ **भिन्डी** के दोनों सिरों को काट दिया जाये तो वह अधिक समय तक ताजी रहती है।

फूल गोभी की गंध दूर करने के लिए उसमें पकाते समय अदरक अवश्य डालें। इससे गोभी की बादी भी दूर होती है तथा स्वाद भी बढ़िया हो जाता है।

- ★ **टमाटर** की सब्जी में थोड़ा–सा ताजा नारियल घिस दें या नारियल का बूरा डाल दें। सब्जी पौष्टिक व स्वादिष्ट बनेगी।
- ★ टमाटर स्लाइस को सुखाकर पीस लें। घर में टमाटर न होने पर या बाजार में मँहगे होने पर यह पाउडर काम में लें।
- ★ टमाटर पिलपिले होने लगें तो उन्हें ठण्डे बर्फ के नमक मिले पानी में रख दें। कड़ापन आ जायेगा।
- ★ टमाटर घर में न हों या कम पड़ गये हों तो टमाटर सॉस से काम चलायें।
- ★ टमाटर हमेशा ग्लिसरीन लगाकर ही उबालें, वरना चटखने का डर रहता है।
- ★ सब्जी में मिर्च या नमक तेज हो गया हो तो पके टमाटर के टुकड़े करके उबालें। इच्छा हो तो पड़ा रहने दें वरना परोसते समय निकाल दें।

- ★ भिन्डी पकाते समय उसमें नीबू का रस डालने से उसका लसलसापन खत्म हो जाता है।
- ★ भिन्डी पकाते समय सब्जी में एक चम्मच दही डाल दें, भिन्डी चिपकेगी नहीं।
- ★ भिन्डी की सब्जी (बिना ढके) को खुला रखकर बनाने से सब्जी काली व लसलसी नहीं होती। सब्जी का रंग वैसा ही रहेगा जैसे पहले था।
- ★ भिन्डी को तेज आँच पर पकाने के लिए उसमें थोड़ी सी छाछ डालने पर वह जलती नहीं और कुरकुरी बनती है।
- ★ **नीबू** लम्बे समय तक ताजा बनाये रखने के लिए नारियल का तेल लगाकर फ्रिज में रखें। नीबू ज्यादा दिन तक ताजा बने रहेंगे।

कच्चे मटर और हल्के पीले व हरे टमाटर को भूरे कागज के लिफाफे या अखबार में रखने से जल्दी पक जाते हैं।

★ नीबू रखे–रखे सूख गए हों तो उन्हें कुछ देर उबलते पानी में डाल दें, नीबुओं का रस आसानी से निकल आयेगा।

★ नीबू को सूखने से बचाने के लिए उस पर मोम की परत चढ़ा दें।

★ डिब्बा बन्द सब्जियों में नीबू का रस डालने से सब्जी का स्वाद ताजी सब्जियों सा हो जाता है।

★ नीबुओं को पानी भरे जार में बन्द करके फ्रिज में रख दें, पानी रोज बदलते रहें। नीबू ताजा बने रहेंगे।

★ नीबुओं को एयरटाइट डिब्बे में या काँच की बोतल में ढक्कन लगाकर रखें बहुत समय तक नीबू ताजा रहेंगे।

★ बिना पकी सब्जियाँ बासी हो जायें तो खूब ठण्डे पानी में नीबू का रस मिलाकर आधा घण्टे भिगोयें। बासीपन दूर होगा व सब्जियाँ ताजा हो जाएँगी।

★ नीबू को ताजा रखने के लिए उस बर्तन में रखें जिसमें नमक रखा हो।

★ नीबू का रस निकालते समय बर्तन में चुटकी भर नमक डालने से रस कड़वा नहीं होता।

★ **लहसुन** की कलियों को 5-10 मिनट गरम तवे पर रखकर छीलें, छिलके बिना मेहनत के उतर जायेंगे।

★ लहसुन का मसाला (तरी या ग्रेवी) बनाते समय तिल और खस–खस थोड़ी–सी मात्रा में डाल दें, तो स्वाद दोगुना हो जायेगा।

★ पिसे लहसुन को कुछ देर रखना पड़े तो एक चुटकी नमक मिला दें। स्वाद बना रहेगा।

★ लहसुन को छीलकर उसे शीशी में भरें, उसमें नमक व सिरका मिला दें। इसे फ्रिज में लम्बे समय तक सुरक्षित रख सकते हैं।

★ लहसुन की कलियों को सुखाकर काली मिर्च के साथ पीसकर रख लें। इसका प्रयोग मसालों के साथ करें, स्वाद लाजवाब होगा।

★ प्याज तेल में भूनने से पहले उसे गर्म बर्तन में एक मिनट भूनें, फिर घी–तेल डालें। प्याज जल्दी सुनहरा होगा और तेल भी कम लगेगा।

★ आधे कटे प्याज पर मक्खन रगड़ें। इससे प्याज देर तक ताजा रहेगा व महकेगा नहीं।

लहसुन अधिक मात्रा में छीलने हों तो हाथों में तेल लगाकर छीलें। समय की बचत होगी तथा जलन से भी बचाव होगा।

लहसुन को कुछ देर गर्म पानी में या 4-5 घंटे सादा पानी में पड़ा रहने दें, फिर कपड़े पर रखकर रगड़ें छिलका खुदबखुद उतर जायेगा।

प्याज काटें
आँखों में नहीं लगेगा

★ कुछ देर बर्फ के ठण्डे पानी में प्याज भिगोने के बाद प्याज काटें, आँखों में नहीं लगेगा।

★ प्याज काटते समय एक सेफ्टीपिन दाँतों के बीच दबा लें। चाहें तो भी आँसू नहीं आयेंगे।

★ प्याज काटने के आधा घण्टे पहले फ्रिज में रखें, काटते समय आँसू नहीं आयेंगे।

★ प्याज को काटते समय आँसू आते हैं तो ब्रेड का एक टुकड़ा अपने दाँतों में ऐसे दबायें कि थोड़ा-सा हिस्सा मुँह के बाहर निकला रहे। अब प्याज काटने पर आँसू नहीं आयेंगे।

★ प्याज काटते समय च्युंगम चबाने से आँसू नहीं आते हैं।

★ प्याज काटते या पीसते समय आँखों में पानी आता हो तो प्याज काटते समय आँखों पर चश्मा लगा लें।

★ प्याज काटते समय अपने पास एक मोमबत्ती जलाकर रखें, इससे आँखों में आँसू नहीं आएँगे।

★ अगर प्याज को जड़ की तरफ से काटा जाये तो महक तेजी से उड़ जायेगी तथा आपकी आँखों में पानी नहीं आयेगा।

★ प्याज को दो बराबर भागों में काटकर धोने से वह बारीक काटते समय आँखों में नहीं लगेगा।

★ प्याज काटने से पहले चाकू की नोंक पर कच्चा आलू छीलकर लगा दें, अब प्याज काटने पर आँसू नहीं आयेंगे।

★ प्याज काटते समय आँखों में आँसू आ जाते हैं, उससे बचने के लिए चाकू को पानी में गीला करके प्याज काटें।

प्याज को आधा ही इस्तेमाल करना हो तो उसके जड़ (नीचे) वाले भाग को बचाकर रखें। ज्यादा दिनों तक इस्तेमाल के लायक रहेगा।

प्याज काटने से पहले चाकू पर आलू काटकर रगड़ देने से प्याज आँखों में नहीं लगेगा।

★ प्याज फ्राई करते समय दो चम्मच दूध डालें, प्याज का रंग बरकरार रहेगा ।

★ प्याज को काटकर दही में डाल दें फिर निकालकर तलें, स्वाद में अन्तर महसूस होगा ।

★ प्याज काटकर तीन–चार घण्टे धूप में रख दें । जब तलेंगे तो घी–तेल कम लगेगा ।

★ प्याज का रंग गुलाबी सुनहरा आए इसके लिए भूनते समय एक चुटकी नमक डालें ।

★ प्याज को काटकर सुखाकर पीस लें । घर में प्याज न होने व बाजार में प्याज महँगा होने पर उसे काम में लें ।

★ कटा हुआ प्याज बच गया हो तो जरा सा तेल गर्म करके इसमें सौंफ, कलौंजी, लाल मिर्च, नमक डाल दें । दूसरे दिन यह अचार के रूप में काम में लें ।

★ धनिया की पत्तियाँ चबाने से प्याज की गन्ध मुँह से दूर हो जाती है ।

★ प्याज भूनते समय एक चुटकी शक्कर या नमक डालने से प्याज जल्दी और कुरकुरी सिकती है ।

★ प्याज का मसाला भूनते समय इसमें एक चुटकी चीनी डालने से इसकी महक व तीखापन कम हो जाता है ।

★ **जमीकन्द** की सब्जी गले में नहीं लगे, इसलिए उसे बनाते समय थोड़ी सी अरहर की दाल डाल दें ।

★ जमीकन्द की सब्जी की तरी में थोड़ी सी पिसी हुई सरसों डालकर 2-4 उबाल आने के बाद उतार लें । सब्जी स्वादिष्ट बनेगी ।

★ जमीकन्द, कटहल व अरबी छीलने से पहले हाथ व चाकू पर चिकनाई या नमक लगा लें तो वे हाथ से फिसलेगी नहीं तथा हाथ चिपचिपे नहीं होंगे और हाथों में खुजली भी नहीं होगी ।

★ शलजम की सब्जी बनाते समय दो–तीन पालक के पत्ते, घी या तेल में तलने से उसकी कड़वाहट जाती रहेगी ।

★ कच्चे आम को ज्यादा दिन कड़क रखने के लिए पानी में रखें । पानी रोज बदलते रहें । आम पकेगा नहीं ।

★ ठण्डाई बनाने के बाद जो खसखस वाला मसाला बचता है उसे धूप में सुखाकर भून लें और सब्जी में डालें, सब्जी स्वादिष्ट बनेगी ।

★ **कढ़ी** जब उबलने लगे तब नमक डालें, कढ़ी फटेगी नहीं ।

★ बेसन के स्थान पर मक्की के आटे की कढ़ी बनायें । ऐसी लज्जतदार कढ़ी पहले कभी नहीं खाई होगी ।

★ कढ़ी बनाने के लिए दही (मठ्ठा) को पहले बघार लें, फिर बेसन डालें । इससे कढ़ी उबलकर बाहर नहीं आयेगी ।

★ अरहर की दाल के आटे की कढ़ी बनायें, स्वाद अलग आयेगा ।

★ मँगोड़ी की दाल पीसने के बाद उसमें हींग, जीरा, हरा धनिया, अदरक व लाल मिर्च व नमक डालकर बनायें तो मँगोड़ी स्वादिष्ट बनेगी ।

★ ज्यादा उबल गई अरबी को तलने से परेशानी हो रही हो तो उसके छोटे टुकड़े करके थोड़ी देर फ्रिज में रख कर तलें ।

★ **करेले** की सब्जी को पकाते समय एक छोटा चम्मच पिसी मेथी भूनकर डाल दें, कड़वापन कम हो जायेगा तथा स्वाद भी बढ़ेगा ।

★ करेले की सब्जी बनाते समय गुड़ का प्रयोग जरूर करें । इससे कड़वाहट कम व स्वाद ज्यादा हो जायेगा ।

★ करेले के मसाले में 2 चम्मच मलाई मिलाने से करेले की कड़वाहट जाती रहेगी ।

★ करेले और अरबी की सब्जी बनाने से पहले उन्हें नमक के पानी में भिगो दें । कड़वाहट और चिकनाहट निकल जाएगी ।

करेलों में चीरा लगाकर फ्रिज में रखने से वे पकते नहीं हैं ।

- ★ करेले को छीलकर, हल्दी लगाकर कुछ देर छोड़ दें। करेलों की कड़वाहट जाती रहेगी।
- ★ चावल के माँड में आधा घण्टे करेला भिगो दें तो करेले का कड़वापन दूर हो जायेगा।
- ★ **काले चने** बनाते समय कुछ बूँदें नारियल के तेल की डाल देने से चने आसानी से गल जायेंगे।
- ★ छोले को काला रंग देने के लिए 1-2 टी बैग या मलमल के कपड़े में चाय की पत्ती बाँधकर डाल दें, रंग अच्छा आ जायेगा।
- ★ काले चनों में कच्चा आँवला कद्दूकस करके डालें। चने का रंग अच्छा आयेगा तथा पौष्टिकता भी बढ़ेगी।
- ★ छोले बनाते समय थोड़ी सी अजवाइन डालने से छोले आसानी से पच जाते हैं।
- ★ चने की सब्जी के मसाले में थोड़ा–सा दही डालकर भूनें, सब्जी लाजवाब व स्वादिष्ट बनती है।
- ★ काबुली चने में एक चम्मच चीनी डालने से वह जल्दी गलेगी।
- ★ काबुली चनों को काला करने के लिए उबालते समय अनार के छिलके का एक टुकड़ा डाल दें।
- ★ चने का मसाला भूनते समय थोड़ी-सी सूखी हरी मेथी डालें, अलग स्वाद आयेगा।
- ★ **ग्वार फली** की सब्जी को अजवाइन से बघारा जाए तो उसका कसैलापन तथा बादीपन कम हो जाता है और स्वाद बढ़ जाता है, गैस नहीं बनेगी।
- ★ सब्जी के लिए अगर कोफ्ते सख्त बनाने हों तो बेसन कम डालें, यानि 100 ग्राम सब्जी में दो छोटे चम्मच बेसन ठीक रहेगा।
- ★ गट्टे की सब्जी बनाते समय बेसन में थोड़ी सी सूजी डालने से गट्टे मुलायम व नरम बनेंगे।
- ★ **बैंगन** का भुर्ता बनाते समय बैंगन को भूनने के बाद उसे किसी बर्तन से ढक दें, थोड़ी देर बाद उसे ठण्डे पानी से धो लें। बिना प्रयास के छिलका उतर जायेगा।
- ★ तेल में थोड़ा–सा नमक मिलाकर कटे हुए बैंगन पर लगाने से वे काले नहीं पड़ेंगे।
- ★ बैंगन के टुकड़ों को नमक या नीबू के पानी में 5-10 मिनट रखें तो कुछ समय तक काले नहीं पड़ेंगे।
- ★ बैंगन भूनते समय उसमें लहसुन की 3-4 कलियाँ घुसा देने से भुर्ते का स्वाद अच्छा व नया लगेगा।
- ★ बैंगन का भुर्ता बनाने के लिए बैंगन के चारों तरफ तेल लगाकर भूनें, छिलका आसानी से उतरेगा।
- ★ **मूली** के पत्तों को काटकर बेसन, लहसुन, प्याज, हरी मिर्च, टमाटर से बघार देकर ज्वार, मक्के की रोटी के साथ खाएँ। स्वादिष्ट लगेगी।
- ★ मूली की सब्जी में पालक के पत्ते, प्याज, टमाटर डालने से सब्जी जल्दी पकेगी व स्वादिष्ट बनेगी।
- ★ मेथी, पालक, हरा धनिया, फ्रिज में ज्यों का त्यों रहे इसके लिए इन्हें स्टील के डिब्बे में बन्द करके रखें।
- ★ सूखी **साँगरी** को भिगोते समय छोटा ½ चम्मच हल्दी डाल दें, फिर उबालें। साँगरी की रंगत खिली–खिली रहेगी।

हरी पत्तेदार सब्जियाँ व अन्य सब्जियों को अधिक समय तक ताजा बनाए रखने के लिए उन्हें सिल्वर फॉइल या अखबार में लपेटकर फ्रिज में रखें।

★ बघार (छोंक) में मिर्च करीपत्ता डालते हैं तो तेल बाहर उछल जाता है। अगर बघार से पहले तेल में थोड़ी-सी हल्दी डाल दी जाए तो बघार बाहर नहीं उछलेगा।

★ **मटर**, पनीर व दाल मखानी में केसर पहले से भिगोया हुआ डालें। स्वाद में अनूठापन आ जायेगा।

★ मटर की सब्जी में थोड़ी सी चीनी और मक्खन डालने से हरा रंग बरकरार रहेगा तथा स्वाद बेहतर हो जाएगा।

★ हरी सब्जियों का रंग काला न पड़े, इसके लिए तेल गरम करते समय उसमें चुटकी भर नमक डाल दें।

★ **मेथी** की भाजी से कड़वाहट हटाने के लिए भाजी को नमक व हल्दी मिले पानी से धोएँ। तीन घण्टे बाद सब्जी बनाएँ।

★ मेथी को नमक डालकर भूनें। इससे मेथी का कड़वापन जाता रहेगा।

★ हल्दी ज्यादा हो गई हो तो उबलती सब्जी के ऊपर पतला सूती सफेद कपड़ा फैलाकर रखें। अतिरिक्त हल्दी उसमें आ जायेगी।

★ हरी सब्जी को पकाते समय यदि उसे हरा रखना चाहें तो उसमें थोड़ा-सा नीबू का रस मिला दें।

★ **हरी मिर्च** को लाल होने से बचाने के लिए जार में भरकर एक चुटकी हल्दी डालें व ढक्कन बन्द करके खुले में रखें।

★ हरी मिर्च के डंठल तोड़कर रखने से वे काफी समय तक ताजा रहती हैं।

★ शिमला मिर्च की सब्जी काटते समय अन्दर के बीज निकाल दें, सब्जी स्वादिष्ट बनेगी।

★ **भरवाँ सब्जी** बनाते समय मसाले में मूँगफली के भुने पिसे दाने मिला देने से सब्जी का स्वाद बढ़ जाता है।

★ भरवाँ सब्जी बनाते समय मसाले में थोड़ा-सा बेसन डालने से सब्जी स्वादिष्ट बनती है।

★ **पालक** पकाते समय चुटकी भर सोडा डाल देने से पालक का रंग काला नहीं पड़ता।

★ पालक पकाते समय इसमें एक चुटकी चीनी डाल दें, हरा रंग बरकरार रहेगा।

★ **राजमा** बनाते समय थोड़ी सी क्रीम मिला दें तो स्वाद बढ़ जायेगा।

★ राजमा में दही डालने से स्वादिष्ट बनता है।

★ राजमा बनाते समय थोड़ा-सा सरसों का तेल व नमक डालें, जल्दी गलेंगे।

★ राजमा उबालते समय एक चुटकी दालचीनी डाल दें फिर ग्रेवी पकाएँ।

सफर के लिए जब सब्जी बनायें तो मसाला भूनते समय थोड़ा-सा सिरका डाल दें। इससे स्वाद भी बढ़ जायेगा और सब्जी जल्दी खराब नहीं होगी।

सब्जी में पानी ज्यादा हो जाए तो उसमें उबला आलू मैश करके डाल दें।

- ★ राजमा को कड़ाही में हल्का सा भूनकर फिर 6-8 घण्टे पानी में भिगोयें।
- ★ राजमा को स्वादिष्ट बनाने के लिए खड़ा गरम मसाला उबालते समय ही डाल देने से स्वाद बढ़ जाता है।
- ★ रात को राजमा या चने भिगोना भूल गये हों तो सुबह इन्हें धोकर 1 घण्टे गर्म पानी में भिगो दें। इसके बाद उबालते समय इसमें 2 साबुत सुपारी डाल दें, तो ये जल्दी पकेंगे।
- ★ यदि राजमा या छोले गलते न हों तो उनमें भिगोते समय खाने का सोडा डाल दें। पकाते समय उस पानी को फेंक दें। दूसरे पानी में पकाएँ।
- ★ **कच्चे केले** की सब्जी बनानी हो तो अजवाइन से छौंकें, स्वाद बढ़ जायेगा।
- ★ **ककोड़े** बनाते समय अगर उसमें दूध (एक पाव में एक कटोरी) डाल दें तो उनका कड़वापन दूर होता है।
- ★ **मशरूम** को छीलना नहीं चाहिए, केवल गीले कपड़े से पोंछना चाहिये।
- ★ मशरूम को ठोस व सफेद रखने के लिए तलते समय उन पर एक चम्मच नीबू का रस और मक्खन डालें।
- ★ **पावभाजी** में तड़का लगाते समय मक्खन में एक चम्मच नीबू का रस मिलाएँ। पावभाजी का स्वाद एकदम अलग लगेगा व खाने में स्वादिष्ट लगेगी।
- ★ सब्जी में **नमक ज्यादा** हो जाने पर उबला आलू मसलकर डाल दें या 1 चम्मच बेसन भूनकर मिलाएँ।

कच्चा केला उबालते समय नमक हल्दी डाल दें तो केला काला नहीं पड़ेगा।

- ★ सब्जी या सूप में नमक ज्यादा हो जाये तो एक कच्चे आलू की पतली फाँकें काटकर डालें, उबाल लें और आलू निकाल दें। जरूरत हो तो एक बार पुनः इस प्रक्रिया को दोहरायें।
- ★ सब्जी में नमक ज्यादा होने पर कच्चा कोयला डाल दें।
- ★ सब्जी में नमक ज्यादा हो जाए तो 6-7 आटे की गोलियाँ बनाकर डाल दें और एक दो उबाली दे दें। बाद में उन्हें निकाल दें।
- ★ **कमल ककड़ी** काटकर पानी में एक चम्मच नमक–हल्दी डालकर रखें। कमल ककड़ी बिल्कुल काली नहीं पड़ेगी।
- ★ कमल ककड़ी में थोड़े से पालक के पत्ते डालने से वह जल्दी गल जायेगी।
- ★ **काशीफल** की सब्जी बनाते समय यदि कच्चा नारियल व एक चम्मच खसखस पीसकर डालें तो वह स्वादिष्ट बनेगी।
- ★ **सब्जी पतली** बन गई हो तो उसमें सूखी ब्रेड का चूरा मिलाकर गाढ़ा किया जा सकता है।
- ★ सब्जी पतली हो गई हो तो मुरमुरे का चूरा या कॉर्न फ्लेक्स मिलायें।
- ★ सब्जी में पानी ज्यादा हो गया हो तो उसमें बेसन भूनकर डाल दें या बारीक पिसा सोयाबीन डाल दें।
- ★ गीला नारियल नहीं उपलब्ध हो तो सूखे नारियल के चूरे को गरम पानी में भिगो दें। बाद में गीले नारियल की जगह काम में लें।
- ★ कुकर में दाल बनाते समय थोड़ी सा तिल का तेल डाल दें तो सीटी के साथ कुकर से पानी बाहर नहीं आयेगा। दाल आसानी से पक जायेगी व अधिक स्वादिष्ट भी बनेगी।

★ किसी भी दाल सब्जी में थोड़ी सी काली मिर्च का उपयोग किया जाये तो व्यंजन का जायका बदल जाता है ।

★ **आलू परवल** की सब्जी बनाते समय परवल के छिलकों को पीसकर मसाला भूनते समय डाल दें । सब्जी का रस गाढ़ा हो जायेगा तथा स्वाद व पौष्टिकता बढ़ जायेगी ।

★ हरे परवल को पीला होने से बचाने के लिए नमक मिले पानी में रखें । परवल हरे रहेंगे ।

★ पनीर बनाने के बाद निथरे पानी को सब्जी में उपयोग करें, स्वाद व पौष्टिकता बढ़ जायेगी ।

★ **आलू** की सब्जी बनाते समय नमक, सब्जी बन जाने के बाद डालें, ऐसा करने से सब्जी स्वादिष्ट बनने के साथ जल्दी गल जायेगी ।

★ आलू की रसेदार सब्जी बनाते समय मसाले में थोड़ा–सा बेसन भूनकर डालें । स्वाद व खुशबू दोनों बढ़ जायेगी ।

★ जीरा, हल्दी, धनिया व मिर्च आदि मसालों को अगर कुछ देर पहले भून लिया जाये तो सब्जी का जायका ही बदल जायेगा ।

★ रतालू उबालकर तलें फिर पनीर के स्थान पर उपयोग करें, पनीर से ज्यादा स्वाद आयेगा ।

★ ग्रेवी को गाढ़ा बनाने के लिए एक दो टोस्ट पीसकर मिलायें ।

★ ग्रेवी भुन जाने के बाद जब वह तेल छोड़ दे तभी मिर्च, हल्दी व नमक डालें । सब्जी स्वादिष्ट बनेगी ।

★ सब्जी की ग्रेवी बनाते समय उसमें तेल की जगह घी का प्रयोग करने से ग्रेवी में फ्लेवर अच्छा आता है ।

★ पनीर की सब्जी बनाते समय उसकी ग्रेवी में थोड़ा–सा पनीर कद्दूकस करके डाल दें । स्वाद लेते–लेते अंगुलियाँ तक चाट जायेंगे ।

★ तरी वाली सब्जी में अच्छी खुशबू लाने के लिए पहले पिसी प्याज भूनें फिर पिसी हुई अदरक, टमाटर व हरी मिर्च भूनें, फिर मसाले भूनें । इससे मसाले का कच्चापन दूर हो जायेगा तथा सब्जी स्वादिष्ट बनेगी ।

★ आलू की रसेदार या सूखी सब्जी में थोड़ा–सा काला नमक और पोदीना डालें । अद्भुत स्वाद व खुशबू आयेगी ।

★ रसेदार सब्जी में पिसे टमाटर और बेसन या दूध की मलाई या जरा सा दही डालें, जायका बदल जायेगा ।

★ सब्जी की ग्रेवी बनाने के लिए प्याज व टमाटर को एक उबाल आने तक पकायें । पानी निथारकर इसे पीसकर ग्रेवी बनायें । यह ग्रेवी कम समय में पक जायेगी और स्वाद भी बढ़ जायेगा । निथरे पानी को बाद में सब्जी में डाल दें ।

★ नए आलू या काली गाजर छीलते समय हाथ काले पड़ जाते हैं । नीबू के छिलके से रगड़ें या सिरका और नमक लगाकर मलने से हाथ साफ हो जायेंगे ।

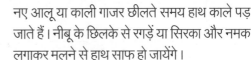

आलू की टोकरी में लहसुन रख दें तो वह खराब नहीं होंगे ।

★ ग्रेवी को अच्छा बनाने के लिए 10 मिनट के लिए काजू भिगोएँ, पीसें फिर ग्रेवी में मिला दें।

★ एक दो चम्मच कस्तूरी मेथी पीसकर ग्रेवी में मिलाने से स्वाद बढ़ जायेगा तथा ग्रेवी तीखी, गाढ़ी व सुगन्धित हो जायेगी।

★ तरी वाली सब्जी तैयार होने के बाद इसमें टमाटर सॉस डालें। सब्जी का जायका बढ़ जायेगा।

★ तरी वाली सब्जी में नारियल का बूरा भूनकर मिलाने से या एक चम्मच भुना बेसन मिलाने से सब्जी गाढ़ी बनती है।

★ दही, ग्रेवी सब्जी में दे रहे हैं तो दही डालने के बाद ही नमक डालें, इससे दही फटेगा नहीं।

★ ग्रेवी वाली सब्जी का स्वाद बढ़ाना हो तो मसाला भूनते समय दही व खरबूजे के बीज का पाउडर डालकर भूनें।

★ **कटहल** की सब्जी बनाने से पहले काँटे वाला हिस्सा काटकर पूरे को कुकर में थोड़ा-सा पानी डालकर उबाल लें। अब इसे काटें, हाथ में चिपकेगा नहीं।

★ कटहल को काटकर तेल या घी में तलें फिर उसे मसाले में छोंकें तो सब्जी अधिक स्वादिष्ट लगेगी। कटहल को काटते समय हाथ में घी-तेल या नमक लगाकर काटें तो वह चिपकेगा नहीं।

★ कसी हुई लौकी, कद्दू, कटा आलू, कटा बैंगन तथा गूदे हुए आँवले को फिटकरी के पानी में डाल देने से उनकी रंगत वैसी ही बनी रहेगी।

★ फ्रिज में सब्जी की ट्रे में अखबार बिछाकर सब्जियाँ रखें, ताजा रहेंगी।

★ **कैरी का पन्ना** बनाने के लिए कैरी को उबालने की बजाय सीधे आँच पर सेकें जब तक कि वह काली न हो जाए, इससे कैरी की गर्मी पूरी तरह नष्ट हो जायेगी और पन्ना अधिक लाभकारी होगा।

★ अगर सब्जी में नमक या मिर्च ज्यादा हो गई हो तो थोड़ा-सा दही या टमाटर सॉस डाल दें।

★ अरबी की सब्जी खट्टे दही के साथ अजवाइन का बघार देकर बनाने से ज्यादा स्वादिष्ट लगती है।

हरा धनिया को गिलास के अंदर रखकर गिलास को उल्टा रख देने से धनिया दो दिन तक ताजा बना रहेगा।

★ गोभी, मूली, लौकी आदि को कद्दूकस करके पिसी उड़द की दाल में मिलाकर बड़ियाँ तोडकर धूप में सुखा लें, खाने में बहुत स्वादिष्ट होती है।

★ सूखी सब्जी तैयार होने के बाद उसमें गरम मसाला व नीबू मिलायें।

★ जड़ वाली सब्जियों (आलू-प्याज) को प्रकाश व नमी वाले स्थान पर रखने से इनमें अंकुर निकल आते हैं इसलिए किसी सूखी व अंधेरी जगह पर रखें।

- ★ जो लोग प्याज नहीं खाते वे तरी बनाते समय पोस्तदाना पीसकर भून लें और टमाटर व मसाले के साथ मिलायें, तरी गाढ़ी हो जायेगी ।

- ★ सब्जी बनाने वाले भगोने के ऊपर किसी गहरे ढक्कन में पानी डाल देने से सब्जी तले में नहीं लगेगी तथा सब्जी बिना पानी के भाप में पक जायेगी ।

- ★ चार कप तुरई की सब्जी पकाते समय दो–तीन चुटकी चीनी डाल देने से सब्जी का स्वाद अच्छा हो जाता है ।

- ★ पत्ता गोभी की सब्जी व अरहर की दाल में 2-3 चुटकी गुड़ डालकर देखिये, स्वाद बढ़ जायेगा ।

- ★ केले के व्यंजन बनाने के पहले केला उबाल लेना चाहिये, उबालने के बाद उसमें बादीपन नहीं रहता और सब्जी भी स्वादिष्ट हो जाती है ।

- ★ **टमाटर** उबालने से पहले उसके निचले भाग में चाकू से क्रॉस बना दें। उबालने पर टमाटर का छिलका आसानी से अलग किया जा सकेगा ।

- ★ टमाटरों को तलते समय फटने से बचाने के लिए उन्हें सिरके में डुबोकर तलें ।

- ★ सब्जी के रस को अधिक लाल बनाना चाहती हैं तो दो लाल मिर्च के बीज निकालकर थोड़ी देर पानी में भिगो दें, बाद में मिर्च को मसल कर वह पानी सब्जी में डालें, सब्जी अधिक लाल व स्वादिष्ट बनेगी ।

- ★ कोई भी रसे की सब्जी बनाते समय उसमें थोड़ा–सा कच्चा दूध मिलाने से सब्जी अधिक स्वादिष्ट बनेगी ।

सब्जी में मिर्च तेज हो गई हो तो देशी घी मिला देने से मिर्च का असर कम हो जायेगा।

घर में सुखायें फल-सब्जी

4

सब्जियाँ सुखाने के बाद इनके रख-रखाव का उचित ध्यान रखें। सारी सब्जियों को एक पैकेट में पैक नहीं करें। पॉलीथिन में भरकर हवाबन्द डिब्बे में रखें।

★ सुखाने के लिए हमेशा अच्छी बढ़िया सब्जी लें। जिन सब्जियों को सुखाना हो उनके छोटे-छोटे टुकड़े काट लें, कुछ देर के लिए नमक के पानी में भिगो दें, इससे टुकड़े काले नहीं पड़ेंगे। इन टुकड़ों को मलमल के कपड़े में पोटली बाँधकर उबलते पानी में दस मिनट तक रखें।

पोटली निकालकर तुरन्त ठण्डे पानी में 15 मिनट के लिए डाल दें। इसमें एक लीटर पानी में 250 ग्राम पोटेशियम मेटाबाई सल्फेट मिला लें। इससे सब्जियों में फफूँद नहीं लगेगी तथा वह अधिक दिनों तक सुरक्षित रहेगी।

★ ध्यान रहे कि सब्जियाँ अलग-अलग पानी में डालें। अन्यथा एक सब्जी की महक दूसरे में भर जायेगी और बनाने को तो आप गोभी की सब्जी बनायेंगी मगर खाते समय आपको उसमें गाजर, मूली, शलजम आदि की महक आयेगी जिससे आपका गोभी खाने और खिलाने का मजा किरकिरा हो जायेगा।

सब सब्जियों को अलग-अलग धूप में 4-5 दिन सुखा लें। रात को इन्हें खुले में न छोड़ें, वरना ओस गिर जायेगी। ऐसा करने से न केवल सब्जियों का रंग, गंध व स्वाद असली बना रहेगा, सब्जियाँ सड़ने से भी बची रहेंगी। इन सब्जियों को पॉलीथिन की थैली में भरकर टाइट डिब्बे में रखें।

★ **मटर**—मटर मीठे, नरम और बड़े दानों वाले लें, मलमल की पोटली में बांधकर दस मिनट उबलते पानी में रखें फिर पोटली को तुरन्त ठण्डे पानी में डालकर धूप में फैलाकर सुखा दें।

★ मटर छिलके सहित 10 मिनट उबलते पानी में डालें, पानी में 2 चम्मच नमक व एक चम्मच चीनी डालें। उबलते पानी से निकालकर तुरन्त ठण्डे पानी में डालें। पानी निथारकर धूप में सुखाकर डिब्बे में भरें।

★ **पालक मेथी**—इनकी पत्तियाँ तोड़कर कुछ देर नमक के पानी में रखें, पानी निथारने के बाद इनको धूप में सुखा दें।

★ **फूल गोभी**—फूल गोभी सफेद बढ़िया गठे हुए लें। इनके छोटे-छोटे टुकड़े कर लें, एक भगोने में एक लीटर पानी में एक चम्मच सोडियम सल्फाइट का घोल बनायें। गोभी के टुकड़ों को मलमल की पोटली में रखकर उबलते पानी में 5–6 मिनट के लिए डालें फिर तुरन्त ठण्डे पानी में डालें। धूप में फैलाकर 5–6 दिन तक सुखाएँ। गोभी का रंग स्वाभाविक रहेगा।

★ **बंदगोभी**—गोभी के छोटे-छोटे टुकड़े काट लें। पोटली में बाँधकर सोडियम कार्बोनेट के घोल में 2–3 मिनट तक उबालें। तुरन्त ठण्डे पानी में डालकर 4–5 दिन धूप में सुखा लें।

फ्रोजन फूड

★ **बड़ी लाल मिर्च**—मिर्च की डंडी तोड़कर बीज निकाल दें, बीच में से काटकर आधा करके पॉलीबैग में भरकर फ्रीजर में रख दें।

★ **नारियल**—नारियल को खोल सहित पॉलीबैग में रखकर फ्रीजर में रख दें। या दूध निकालकर बोतल में भरकर फ्रीज में रख दें। 2 महीने से ज्यादा न रखें।

★ **मेथी**—मेथी में नमक लगाकर एक मिनट रखें, ठण्डे पानी में डालकर निचोड़कर पॉलीबैग में भरकर फ्रीजर में रख दें।

★ **बीन्स**—इनके किनारे काट दें, दो मिनट गरम पानी डालकर निकाल लें और पॉलीबैग में भरकर फ्रीजर में रख दें।

★ **शिमला मिर्च**—शिमला मिर्च की डंडियाँ काट दें, बीच में से दो टुकड़े करके बीज निकाल दें। 3 मिनट गरम पानी में डालकर फिर 3 मिनट ठण्डे पानी में डालकर पॉलीबैग में भरकर फ्रीजर में रखें।

★ **मटर**—एक मिनट के लिए गरम पानी में डालकर पानी निथारकर पॉलीबैग में भरकर फ्रीजर में रख दें। पानी में एक चम्मच चीनी भी डाल सकते हैं।

गाजर को काटकर गरम पानी में एक मिनट के लिए डालकर तुरन्त बर्फ के ठण्डे पानी में डालकर छलनी में निकाल लें। पॉलीबैग में भरकर फ्रीजर में रख दें।

★ मटर को फ्रोजन करने के लिए एक बाल्टी पानी में थोड़ा–सा खाने का सोडा व मटर डालें। रात भर रखें फिर पानी निथारकर थैली में भरकर फ्रीजर में रख दें।

★ **टमाटर**—टमाटर को बिना पानी के भाप से नरम करके छिलका उतारकर मसल लें और छलनी में छानकर बोतल में भरकर फ्रीजर में रख दें, पानी बिल्कुल नहीं डालना है।

★ टमाटर ज्यादा मात्रा में प्रिजर्व करने हों तो टमाटर का रस निकाल कर आइस ट्रे में डालकर जमाएँ। जमे हुए टमाटर के टुकड़ों को पॉली बैग में भरकर फ्रीजर में रखें। सूप या सब्जी में जरूरत होने पर काम में लें।

★ **नीबू**—नीबू का रस निचोड़ लें, आइस ट्रे में जमाकर पॉलीबैग में भरकर फ्रीजर में रख लें। नीबू काटकर फ्रीजर में रखें, खराब नहीं होंगे। नीबू का रस निकालने के बाद बचे छिलके को बारीक काटकर गरम पानी में एक मिनट डालकर ठण्डे करके पॉलीबैग में भरकर फ्रीजर में रख दें। ये पुडिंग कॉकटेल व किसी में खुशबू डालने के काम आ सकते हैं।

★ **संतरा**—संतरे के छिलकों को लच्छे में या बारीक टुकड़ों में काट लें और पॉलीबैग में भरकर फ्रीजर में रख लें। पुडिंग केक, सूप में काम आ सकते हैं।

★ एक लीटर संतरे के रस में 50 ग्राम चीनी मिला दें और प्लास्टिक की बोतल में भरकर फ्रीजर में रखें।

★ **आम**—आम का रस निकालकर पॉलीबैग में भर लें और फ्रीजर में रखें। आम की स्लाइस काट लें, 25 ग्राम चीनी डालकर एक तार की चाशनी बनाकर स्लाइस इसमें डाल दें। एक किलो आम के हिसाब से दो नीबू का रस मिला दें। एयर टाइट डिब्बे में भरकर फ्रीजर में रखें।

★ **अंगूर**—अंगूर को पॉलीबैग में भरकर फ्रीजर में रखें।

★ **स्ट्रॉबरी**—250 ग्राम चीनी में तीन कप पानी मिलाकर एक तार की चाशनी बना लें। साबुत स्ट्रॉबरी या इसके रस को जार में डालकर ऊपर से चाशनी डालें और फ्रीजर में रखें। छः महीने से ज्यादा स्ट्रॉबरी को रखना हो तो एक बूँद लाल रंग डालें जिससे उसका रंग अच्छा रहेगा।

★ **अनन्नास**—अनन्नास के स्लाइस को डिब्बों में भरें, ऊपर से नीबू का रस थोड़ा-सा निचोड़ दें और बंद करके फ्रीजर में रख दें।

★ अनन्नास को बारीक काटकर प्रत्येक 700 ग्राम पर चार बड़े चम्मच चीनी व एक नीबू का रस डालकर डिब्बे में भरकर फ्रीजर में रख दें।

★ **आलू बुखारा**—आलू बुखारे को धोकर काट लें, बीज निकाल दें। एक किलो चीनी की चाशनी में एक चुटकी एस्कॉर्बिक एसिड मिलाकर उसमें आलू बुखारा मिला दें। डिब्बे में बंद करके फ्रीजर में रखें। काम में लाते समय ही खोलें वरना इनका रंग चला जायेगा।

★ **लीची**—लीची छीलकर बीज निकाल दें और मिक्सी में जूस निकाल लें। एक बोतल में 100 ग्राम पोटेशियम मेटा बाई सल्फाइट मिलायें। बोतल को काम में लेने से पहले हिलायें। फ्रीज में रखें।

250 ग्राम चीनी में तीन कप पानी डालकर एक तार की चाशनी बनायें। इसे ठण्डी कर लें। इसमें एक नीबू का रस डाल दें। नाशपाती धोकर छीलकर दो टुकड़े करें। इन्हें चाशनी में डालकर जार में भरकर फ्रीजर में रख दें।

5

सूप

★ सूप बनाने से पहले टमाटर को फ्रिज में रखें, जब भी उन्हें छीलना हो उन पर गरम पानी की धार छोड़ दें, टमाटर का छिलका नरम पड़ जायेगा तब उन्हें छीलना आसान हो जायेगा।

★ यदि सूप में डालने के लिए क्रीम न हो तो दूध एवं बटर मिक्स करके डाल सकते हैं।

★ सूप बन जाने के बाद उसमें महीन कतरा हरा धनिया, पोदीना, तली ब्रेड के टुकड़े (ब्रैड क्रम्ब्स), मक्खन, क्रीम, कद्दू कस करी, पनीर, चीज़, काजू, अखरोट व बादाम डालकर सजाएँ।

★ सूप को अगर गाढ़ा करना हो तो उसमें थोड़ा–सा चावल का आटा भुना हुआ मैदा या बेसन मिला दें। सूप गाढ़ा हो जाएगा।

★ आलू के सूप में थोड़ी सी अदरक मिला देने से सूप सुगन्धित हो जायेगा।

★ सूप का स्वाद बढ़ाने के लिए उसके ऊपर पिसा पोदीना व काली मिर्च डालें।

★ मलाईदार क्रीम युक्त सूप बनाने के लिए मक्खन के स्थान पर आलू के शोरबे में मक्की का आटा मिलायें।

★ यदि सूप के ऊपर चिकनाई पसन्द नहीं है तो एक दो आइसक्यूब के टुकड़े डालें, चिकनाई आइस पर चिपक जायेगी। सर्व करते समय आइस क्यूब निकाल दें।

सूप बनाते समय कम पानी का इस्तेमाल करें, इसके अलावा दूध का इस्तेमाल करें।

★ कॉर्न (मक्की) सूप बनाते समय उसमें थोड़ी सी चीनी डालें, स्वाद कई गुना बढ़ जायेगा ।

★ सूप अधिक स्वादिष्ट बनाने के लिए उसमें पनीर के टुकड़े डाल दें ।

★ उबले हुए टमाटर को पीसते समय दो ब्रेड पीसकर डाल दें । सूप गाढ़ा हो जायेगा ।

★ टमाटर का सूप बनाते समय 1–2 गाजर के टुकड़े डाल दें । सूप गाढ़ा, स्वादिष्ट व पौष्टिक बनने के साथ रंग भी अच्छा आएगा । टमाटर के सूप के नियमित सेवन से कब्ज दूर होती है और चेहरे पर चमक आ जाती है ।

★ प्याज के मिश्रण वाला सूप बना रहे हैं तो थोड़ा-सा पिसा पनीर या पनीर के टुकड़े डाल दें, सूप का स्वाद बढ़ जायेगा ।

★ सूप में टमाटर जैसी एसिड वाली सब्जी है तो दूध न डालें वरना दूध फट जायेगा ।

★ सूप में नमक ज्यादा हो गया हो तो उबले हुए 2 आलू काटकर डाल दें । उन्हें निकाल दें फिर थोड़ा-सा दूध डाल दें ।

★ टमाटर का सूप बनाते समय उसमें 2–3 चम्मच धुली मूँग की दाल डालें । सूप गाढ़ा व पौष्टिक बनेगा ।

★ टमाटर का सूप बनाते समय सुर्ख रंग लाने के लिए थोड़ा-सा चुकन्दर महीन काटकर डालें ।

★ कॉर्न फ्लोर ठण्डे पानी में मिलाकर पेस्ट बनाएँ । किसी भी सूप में मिलाने से सूप गाढ़ा बनेगा ।

★ सूप बन जाने के बाद ही उसमें नमक डालें । इससे सूप का स्वाद अच्छा बनेगा ।

★ सूप बनाते समय पानी के स्थान पर वेजीटेबल स्टॉक (प्याज, 5-6 काली मिर्च, 2 तेज पत्ते को पानी डालकर 5-6 मिनट तक उबालें । बिना मसले छान लें, ये वेजीटेबल स्टॉक है) का प्रयोग करें । सूप ज्यादा पौष्टिक व स्वादिष्ट बनेगा ।

★ सूप का सही स्वाद लाने के लिए हमेशा ताजी सब्जियाँ व ताजे स्टॉक का इस्तेमाल करें ।

❖

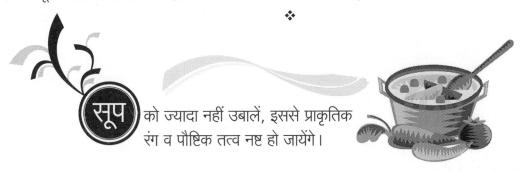

सूप को ज्यादा नहीं उबालें, इससे प्राकृतिक रंग व पौष्टिक तत्व नष्ट हो जायेंगे ।

6

दालें

★ दालों का प्रयोग जहाँ तक सम्भव हो छिलकों सहित करें। साबुत दाल को अंकुरित करके प्रयोग करें क्योंकि इससे पौष्टिकता बढ़ती है तथा विटामिन सी मिलता है, जो मसूढ़ों को स्वस्थ बनाने तथा रोगों से मुक्त कराने में सहायता करता है। दाल गलाने के लिए खाने का सोडा कदापि न डालें। ऐसा करने से विटामिन 'बी' नष्ट हो जाता है। दाल पकाने से पहले अवश्य भिगोयें तथा जिस पानी में भिगोएँ उसी पानी में पकाएँ। दो या अधिक दालों को मिलाकर पकाने से स्वाद व भोजन की पौष्टिकता बढ़ती है। दाल नित्य एक समय् अवश्य खानी चाहिये।

★ दाल जल्दी बने व गैस कम खर्च हो, इसके लिए दाल को 15 मिनट पहले नमक के पानी में भिगो दें तथा कुकर में बनायें।

★ दाल, दूध, कढ़ी, उफन कर बाहर गिरने से गैस का चूल्हा खराब हो जाता है। इससे बचने के लिए बरतन में स्टील की छोटी चम्मच डाल दें या बर्तन के ऊपरी किनारे पर थोड़ी सी ग्लिसरीन या घी मक्खन लगा दें।

★ दालों को उड़ने वाले कीड़ों से बचाने के लिए पारे की गोली रखें।

★ किसी भी दाल के पापड़ बनाते समय उसमें उड़द की दाल का आटा अवश्य मिलाएँ, इससे पापड़ पतले व स्वादिष्ट बनेंगे।

उड़द की दाल कभी धूप में न सुखायें अन्यथा कुड़के हो जाते हैं, पकाते समय वह गलती नहीं है।

★ मूँग व उड़द की दाल में हींग जीरे के साथ अजवाइन भी डालें, दाल स्वादिष्ट लगेगी ।

★ छौंक लगाते समय दाल को ढक दें तो सुगन्ध उड़ेगी नहीं तथा दाल महक जायेगी ।

★ कुकर में दाल बनाते समय पहले थोड़े से घी में हल्का भूनकर फिर दाल डालें तो वह शीघ्र बनेगी तथा दाल कुकर के बाहर नहीं निकलेगी । कुकर व गैस प्लेट गंदे होने से बच जायेंगे ।

★ मूँग, उड़द, चना, मोठ आदि दालें खाने के बाद सिरका सेवन से वे सुपाच्य हो जाती हैं ।

★ अरहर की दाल बनाते समय उसमें थोड़ा मेथीदाना डालने से दाल नुकसान नहीं करेगी ।

★ साबुत मूँग व उड़द में पेठा या खीरा डालकर पकाने से वे शीघ्र पक जाते हैं ।

★ साबुत दालें (छोले, मूँग, मोठ, चना, उड़द, चवला) उबालते समय एक चम्मच तेल डालें तो वह जल्दी गलेंगे ।

★ साबुत दालों को अंकुरित करना हो तो 8 घण्टे पानी में भिगो दें फिर कपड़े पर 5–10 मिनट फरहरा करके सूखे बर्तन में डालकर प्लेट से ढक दें । भिगोने के 24 घण्टे में अंकुरित हो जायेंगे ।

★ स्वादिष्ट दाल बनाने के लिए दाल को भूनकर बनाएँ ।

★ दाल में घी व हल्दी पहले ही मिला दें तो वह शीघ्र गल जायेगी ।

★ उड़द मूँग की दाल का स्वाद बढ़ाने के लिए पकाते समय एक चम्मच मक्खन डाल दें ।

★ दाल की पौष्टिकता में वृद्धि करने के लिए उसमें थोड़ा-सा गुड़ डालें ।

- ★ अंकुरित दालों को ताजा बनाए रखने के लिए नीबू का रस मिलाएँ। फ्रिज में रखें। अधिक समय तक फ्रेश रहेगी।
- ★ मूँग की दाल में थोड़ा-सा बेसन मिलाने से वह ज्यादा स्वादिष्ट बनेगी व जल्दी बनेगी।
- ★ भीगी मूँग की दाल के छिलकों को फेंकें नहीं उन्हें पीसकर आटे में गूँथ लें या सुखाकर पीसकर रख लें, बेसन मिलाकर पराठें बनायें, स्वादिष्ट बनेंगे।
- ★ मूँग व उड़ द की दाल को कीड़ों से बचाने के लिए डिब्बे में थोड़ी सी हींग रखें।
- ★ दाल व गेहूं में हल्दी की गाँठ डालें, खराब नहीं होंगे।
- ★ अरण्डी का तेल दाल-चावल व गेहूँ में लगाकर रखने से पूरी तरह सुरक्षित रहते हैं।
- ★ दालों को लम्बे समय तक सुरक्षित रखने के लिए उनमें तिल या सरसों के तेल की कुछ बूँदें मिलाकर रखें।
- ★ दालों में साबुत नमक डालकर रखने से इनमें कीड़े नहीं लगते।
- ★ उड़द की दाल में सूखे नारियल के दो टुकड़े रखें, कीड़े नहीं लगेंगे।
- ★ दालों में नीम की गोलियाँ रखने से तो दालों में कीड़े नहीं लगते।
- ★ साबुत अनाज या गेहूँ में नीम की पत्तियाँ डालकर रखने से कीड़े नहीं लगते।

❖

दाल-चावल में लहसुन की कली या नीम के पत्ते रखने से कीड़े नहीं पड़ेंगे।

7

चावल

चावल के आधा पकने पर एक चुटकी चीनी मिलाने से चावल के दाने अलग-अलग रहेंगे तथा वे स्वादिष्ट बनेंगे।

★ चावल पकाने से पहले उसे केवल दो बार धोएँ। चावल को अधिक बार रगड़ कर धोने से चावल की ऊपरी परत में पाये जाने वाले पोषक तत्व पानी में घुलकर बह जाते हैं। ये बहुमूल्य तत्व शरीर को शक्ति प्रदान करते हैं तथा फेफड़े, हृदय, आमाशय, आँत, यकृत और वृक्कों में ऊर्जा उत्पन्न करते हैं। ये तत्व शरीर को स्वस्थ तथा रोगमुक्त रखने में सहायता करते हैं। यदि चावल पहले से भिगोना चाहती हैं तो उसी पानी में भिगोएँ जिस पानी में पकाना हो, चावल का माँड न निकालें यदि निकालना ही चाहें तो उससे आटा गूँथने, दाल, कढ़ी आदि में डाल दें।

★ अगर तैयार चावल में पानी अधिक हो गया हो तो उन पर ब्रेड स्लाइस रख देने से वह अतिरिक्त नमी सोख लेगा और चावल खिले-खिले बनेंगे।

★ चावल पकाने के बाद चावलों के बीच में 3-4 करी पत्ते दबा दें, खुशबू अच्छी आयेगी।

★ चुकन्दर उबालने के बाद उसका पानी फेंकें नहीं, चावलों में डालें, कुदरती लाल रंग आ जाएगा।

★ पुलाव बनाते समय थोड़ी सी गाजर कद्दूकस करके डाल दें, पुलाव का स्वाद व गुलाबी रंगत देखते ही बनेगी।

★ पुलाव बनाने के बाद कुछ देर तक बारीक कपड़ा ढक दें, एक-एक दाना अलग हो जायेगा।

- ★ पुलाव बनाते समय आधा चम्मच चीनी डालने से पुलाव की महक व रंगरूप देखते ही बनेगा।
- ★ पुलाव बनाते समय अन्य मसालों के साथ थोड़ा–सा सन्तरे के छिलके का पाउडर भी भून लिया जाए तो पुलाव में अनोखी सुगन्ध आ जायेगी।
- ★ दही वाले पुलाव में थोड़ा–सा सिरका डाल देने से पुलाव स्वादिष्ट बनता है।
- ★ चावल बनाते समय दालचीनी का टुकड़ा डाल दें, चावल खुशबूदार बनेंगे।
- ★ चावल बनाते समय थोड़ा–सा घी व नीबू निचोड़ दें तो चावल खिले–खिले, साबुत व सफेद बनेंगे।
- ★ चावल बनाते समय उसमें थोड़ा–सा सिरका डाल दें, चावल अधिक सफेद बनेंगे। इससे खुशबू भी अच्छी आयेगी।
- ★ चावल को पकाने से कुछ देर पहले नमक मिले पानी में भिगो दें, चावल सफेद खिले–खिले बनेंगे तथा टूटने से बच जायेंगे।
- ★ चावल को दुबारा गर्म करना हो तो एक भगोने में पानी भरकर गरम करें, चलनी में चावल डालकर उस भगोने पर रख दें, ऊपर से थाली ढक दें। चावल ताजे जैसे गरम हो जायेंगे।
- ★ चावल के आटे के पापड़ बनाते समय उसमें थोड़ा–सा साबुदाना डाल दीजिये, वे ज्यादा स्वादिष्ट बनेंगे।
- ★ चावलों को पीसना हो तो हल्का सा भून लें, आसानी से पिस जायेंगे।
- ★ सूखे बचे हुए चावल या खिचड़ी में स्वादानुसार मसाले मिलाकर बड़ी के रूप में तोड़ दें या उनको ऐसे ही फैलाकर सुखा दें। सूखने पर तलें।

चावल पक जाने के दस मिनट तक ढक्कन मत खोलिए, चावल आकार में बड़े–बड़े बनेंगे।

चावल पकते समय पानी में थोड़ा–सा तेल डाल दें तो दाने आपस में चिपकेंगे नहीं।

चावल 37

चावल सुरक्षित रखें

★ चावल में करेले के सूखे छिलके डालने से कीड़ा नहीं लगता।

★ चावल में गंधक का टुकड़ा रखने से कीड़े नहीं लगते।

★ चावल में खाने वाला चूना डाल दें तो चावल में कीड़े नहीं लगते।

★ चावल में नीम की सूखी पत्तियाँ डालने से लट नहीं लगती।

★ चावल या गेहूँ में कुछ बूँदें अरण्डी के तेल की लगा दें तो उनमें कीड़े नहीं लगते।

★ चावलों में साबुत हल्दी की एक गाँठ डाल दें तो उनमें इल्लियाँ नहीं पड़ती।

★ चावल को कीड़ों से बचाना है तो उसमें तेजपत्ता डालकर रखें।

★ चावल में सेंधा नमक या साधारण नमक की डली डालने से कीड़े नहीं लगते।

★ चावलों को रात भर ओस में फैला दें, बाद में डिब्बे में बन्द करके रख दें। चावलों में कीड़े नहीं पड़ेंगे तथा सालों साल सुरक्षित रहेंगे।

★ बरसात के दिनों में चावल के डिब्बे में स्याही सोख्ता डालकर रखें। चावल सीलन से सुरक्षित रहेंगे।

★ चावल को कीड़ों से बचाने के लिए मेथी की सूखी पत्तियाँ डालकर रखें।

★ तोरई के सूखे छिलके चावल के डिब्बे में रखें तो लटें नहीं पड़ेंगी।

★ चावलों को कभी भी धूप में न डालें वरना वे टूट जाते हैं।

❖

चावल को
कीटाणु रहित रखने
के लिए बेकिंग पाउडर
मिलाकर
रखें।

8

आलू

★ आलू के चिप्स पाँच मिनट के लिए बर्फीले पानी में डाल दें तो सुखाते समय आपस में चिपकेंगे नहीं।

★ चिप्स बनाकर पानी में डालने से पहले पानी में एक चम्मच घी या तेल व नमक डाल दें। चिप्स आपस में चिपकेंगे नहीं।

★ घिसने के बाद आलू के चिप्स फिटकरी मिले पानी में डाल देने से काले नहीं पड़ते बल्कि ज्यादा सफेद व कुरकुरे बनते हैं।

★ **ताजे** आलू व केले के चिप्स बनाते समय तलने से **पहले** उन पर नमक का पानी डालें फिर थोड़ा-सा **बेसन** या मैदा बुरक दें। चिप्स खस्ता व कुरकुरे बनेंगे।

★ आलू को अंकुरण से बचाने के लिए उनके बीच एक सेब रख दें।

★ आलू की जगह सभी चीजों में कच्चे केले का उपयोग करें। यह स्वास्थ्यवर्धक व पौष्टिक रहेगा।

★ आलू पर रखे-रखे झुर्रियाँ पड़ गई हों तो उन्हें पानी में नमक डालकर उबालें। आलू का बासीपन दूर हो जायेगा।

उबले आलू को ठण्डे पानी में डाल देने से छिलका आसानी से उतरेगा।

★ आलू उबालते समय पानी में 4-5 बूँदें नीबू की डालें तो बर्तन काला नहीं पड़ेगा।

★ आलू उबालते समय आधा चम्मच नमक डालने से आलू फटते नहीं।

★ आलू अधिक मीठे होने पर उबालते समय उसमें एक नीबू के 4 टुकड़े करके डालें। आलू का मीठापन खत्म हो जायेगा।

★ आलू के कच्चे चिप्स में करी पत्ता या लाल मिर्च रखने से उनमें रखे रहने (पुराने होने) की गंध नहीं आयेगी।

★ यदि आलू मीठे हों तो उबालते समय एक लौंग व एक चुटकी फिटकरी डालें, मीठापन निकल जाएगा।

★ आलू काटने के बाद काले पड़ जाते हैं इसके लिए पानी में सिरका या नीबू का रस मिलाकर आलुओं को उसमें डुबोकर रखें।

★ आलू उबालते समय इसमें नमक और सिरका डालने से आलू जल्दी गलता है तथा फटता नहीं है। आलू का रंग सफेद बना रहता है तथा छिलका आसानी से उतरता है।

★ पुराने आलुओं को उबालते समय पानी में थोड़ी सी चीनी डालने से उनका स्वाद और अच्छा हो जायेगा तथा आलू सफेद व भुरभुरे हो जायेंगे।

★ आलू की कचोरी बनाते समय मसाले में थोड़ा–सा भुना बेसन मिला दें, कचोरी ज्यादा खस्ता व स्वादिष्ट बनेगी।

★ आलू की कचोरी के मसाले में थोड़ा–सा चिउड़ा मिला दें, कचौरियाँ करारी तो बनेंगी ही साथ ही फूटेंगी नहीं।

आलू गर्म-गर्म छीलकर मसलने से उसमें गाँठें नहीं पड़ती हैं तथा पीठी बनाने में आसानी रहती है।

★ कटलेट व कोफ्ते बनाने के लिए देशी आलू का प्रयोग करें, पहाड़ी आलू के कटलेट तेल में चटख जाते हैं।

★ आलू के पराठे बनाते समय आलू की पीठी में हरे धनिया के साथ कस्तूरी मेथी डाल दें तो पराठे अधिक स्वादिष्ट बनेंगे।

★ आलू में ब्रेड या भुना बेसन मिलाने से पराठे आसानी से बनते हैं तथा स्वादिष्ट भी लगते हैं।

★ आलू का पराठा बनाते समय आलू चिपचिपा न रहे इसके लिए आलू में थोड़ा–सा दही मिला दें।

★ आलू की टिक्की फ्राई करते समय न टूटे, इसके लिए आवश्यकतानुसार भुने चने का आटा मिला लें। टिक्की स्वादिष्ट तो बनेगी ही बिखरेगी भी नहीं।

★ आलू की टिक्की बनाते समय टिक्की को अरारोट में लपेटकर या अन्दर मिलाकर सेंकें, वह तवे पर चिपकेगी नहीं तथा ऊपर की परत स्टफ हो जायेगी।

★ आलू की टिक्की बनाते समय यदि उसमें चावल का आटा मिलायें तो टिक्की के किनारे फटेंगे नहीं तथा कुरकुरी बनेगी।

आलू की टिक्की में दो चम्मच सूजी या साबूदाना मिला दें, स्वादिष्ट व कुरकुरी बनेगी।

★ आलू की टिक्की बनाते समय मुरमुरे या पोहे पीसकर मिलायें। इससे टिक्की फटेगी नहीं तथा कुरकुरी बनेगी।

★ टिक्की को अधिक स्वादिष्ट बनाने के लिए उबले आलू में खूब पका केला (छिलके सहित गैस पर सेंक लें), मैश करके मिला लें।

★ आलू यदि तलने के लिए काटने हों तो उबले आलू ठण्डे करके काटें, इससे आलू फटेंगे नहीं व जल्दी तले जायेंगे।

★ आलू यदि लम्बाई में काटे जाएँ तो सब्जी जल्दी और ज्यादा स्वादिष्ट बनेगी।

★ आलू की सूखी या रसेदार सब्जी में थोड़ा–सा काला नमक व सूखा पोदीना डालें, स्वाद निराला हो जायेगा।

★ आलू के फिंगर चिप्स घी की जगह मक्खन में फ्राई किये जायें तो अधिक स्वादिष्ट बनेंगे।

★ आलू के पापड़ बनाने हों तो, आलू उबालते समय चुटकी भर खाने का सोडा डालने से पापड़ खस्ता हो जाते हैं।

★ हाथों व सिल बट्टे पर से प्याज व लहसुन की बदबू दूर करने के लिए कच्चे आलू को रगड़ लें।

★ कमल ककड़ी के कोफ्तों को नरम बनाने के लिए उसमें उबले हुए एक–दो आलू मसलकर डाल दें।

★ आलू यदि जल्दी उबालने हों तो गर्म पानी में नमक डालकर उसमें दस मिनट भिगो दें। अब आलू आग पर चढ़ाते ही शीघ्र उबल जाएँगे।

★ हाथों में मसाले या किसी और चीज के दाग हों तो कच्चे आलू को काटकर अच्छी तरह रगड़ें। धब्बे दूर हो जायेंगे।

★ मूँग की दाल की मँगोड़ी बनाते समय अगर दाल गीली हो जाए तो उबला आलू अच्छी तरह मसलकर दाल में मिला लें। मँगोड़ी एकदम गोल बनेगी और स्वाद, खस्तापन भी बढ़ जायेगा।

★ डबल रोटी के ऊपर–नीचे की स्लाइस प्रायः फेंक दी जाती है। इनको सुखाकर बारीक पीस लें। आलू की टिकिया में यह चूरा डालने से यह कुरकुरी व स्वादिष्ट बनेंगी।

★ आलू के चिप्स यदि प्लास्टिक की थैली में बन्द करके फ्रिज में रख दें तो वे नरम नहीं पड़ते।

★ आलू के पापड़ बनाते समय आलू सिल पर या कद्दूकस में कसते समय घी लगाते रहें फिर दो पॉलीथिन के बीच लोई रखकर पापड़ बेलें। पापड़ पर्याप्त पतले बेले जा सकेंगे तथा चिपकेंगे नहीं।

★ आलू उबालने से पहले 15–20 मिनट ठण्डे पानी में भिगोने से वे जल्दी उबल जाते हैं।

★ कच्चे आलू लहसुन के साथ रखें, अधिक दिन तक ताजा रहेंगे।

★ कच्चे आलू को ठण्डे पानी में आधे घण्टे भिगोकर रखने के बाद फिंगर चिप्स बनायें, चिप्स कुरकुरे बनेंगे।

❖

आलू के छिलकों को तलकर नमक-मिर्च बुरक कर खायें। बहुत स्वादिष्ट व पौष्टिक साबित होंगे।

9

अचार

अचार को कभी हाथ से न निकालें। सम्भवतः लकड़ी या स्टील के चम्मच से निकालें।

★ अचार को मर्तबान में भरने से पहले एक कटोरी में जलता हुआ कोयला रखें, उस पर थोड़ी सी हींग बुरक दें फिर मर्तबान को उस पर उल्टा रख दें, जिससे हींग वाला धुआँ मर्तबान में भर जाए। अब इसमें अचार भरें, इससे अचार खराब नहीं होगा तथा अचार में हींग की महक रहेगी।

★ अचार बनाते समय मसाले में 10–12 लौंग तलकर डालें तो अचार में फफूँद नहीं आती है।

★ कटहल व जमीकन्द तलकर या फूलगोभी व गाजर–मूली को उबलते पानी डालकर कपड़े पर फरहरा करके अचार के बचे हुए तेल मसाले में डालें, नमक, लाल मिर्च, राई, गर्म मसाला आदि भी थोड़ा–सा डालें। पुराने तेल में नया अचार तैयार है।

★ अगर अचार थोड़ा डालना हो तो मर्तबान भी छोटा लें क्योंकि अचार व ढक्कन के बीच ज्यादा फासला नहीं होना चाहिये। वरना जल्दी खराब हो जायेगा।

★ यदि नमकीन अचार खराब हो गया हो तो फफूँदी वाला भाग निकालकर दूसरी साफ बरनी में भरकर थोड़ी सी पिसी हुई चीनी डालकर कुछ देर आँच पर रखें या दो–तीन दिन धूप में रखें। अचार पुनः खाने लायक हो जायेगा।

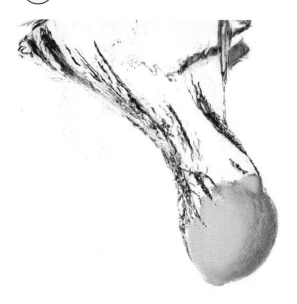

कोई भी अचार डालते समय उसमें नमक डालकर एक दिन खुला रख दें। फिर अचार डालें। ऐसा अचार कभी खराब नहीं होता।

अगर अचार सूख गया हो और खराब न हुआ हो तो थोड़ा-सा गंगाजल डाल देने से अचार ठीक हो जायेगा।

★ अगर मौसमी सब्जियों व फलों के अचार, चटनी, मुरब्बा आदि बना रही है तो उसमें सिरका अवश्य डालें। अचार आदि अधिक दिनों तक टिका रहेगा।

★ एक किलो अचार में एक ग्राम सोडियम बेन्जोएट डालने से अचार खराब नहीं होता।

★ किसी भी अचार में अप्रिय गंध आ जाये तो थोड़ा-सा सिरका डालें। इससे गंध दूर हो जायेगी तथा दुबारा अचार में फफूँदी नहीं लगेगा।

★ अचार काफी समय से रखा बासी हो गया हो तो थोड़ा-सा गन्ने का रस डाल दें, वह फिर खाने योग्य हो जायेगा।

★ नीबू के अचार में कटा हुआ छुहारा, अदरक व किशमिश डालें। नीबू का अचार अधिक स्वादिष्ट व पाचक बनेगा।

★ अगर नीबू का अचार खराब होने लगे तो उसमें थोड़ा-सा नीबू का रस डाल देने से ज्यादा स्वादिष्ट, ताजा व टिकाऊ बनाता है।

★ नीबू का अचार सूख गया हो तो नीबू का रस डाल दें, अचार वापस खाने योग्य हो जायेगा।

★ यदि नीबू का अचार खराब हो रहा हो तो उसमें चीनी डाल दें। स्वाद भी नया हो जायेगा और अचार भी सुरक्षित हो जायेगा।

★ नीबू का अचार खराब हो रहा हो तो थोड़ा-सा सिरका डालकर पका लें। सिरका डालकर पकाने से अचार खराब होने से बच जायेगा।

★ आम का अचार खराब होने लगे तो उस पर थोड़े नमक की परत बिछा दीजिये।

★ आम का अचार तैयार करते समय यदि सरसों के कच्चे तेल को खूब अच्छी तरह गर्म करके (तेल में धुआँ आने लगे) उसे ठण्डा करके डाला जाये तो अचार को धूप में रखने की आवश्यकता नहीं रहेगी तथा उसमें कभी भी फफूँदी नहीं लगेगी।

★ अचार को फफूँद से बचाने के लिए रुई को सिरके में डुबोकर जार के अन्दर चारों तरफ अच्छी तरह से पोंछ दें। अचार में कभी भी फफूँद नहीं लगेगी।

★ नीबू के छिलकों को बारीक काटकर उबालकर नमकीन या मीठा स्वादिष्ट व पाचक अचार तैयार किया जा सकता है।

★ आम या नीबू के अचार में अदरक कसकर डालें, अचार पौष्टिक, पाचक व स्वादिष्ट बनेगा।

★ नीबू का मीठा अचार बनाते समय आधी शक्कर और आधा गुड़ समान मात्रा में डालें, अचार बलवर्द्धक बनेगा।

★ अचार बड़ी सफाई से बनाना चाहिये। गन्दगी व सड़े गले फल से बनाए हुए अचार अधिक दिनों तक टिकाऊ नहीं होते। ताजा फल फूल व सब्जियाँ ही अचार बनाने में प्रयोग में लायें।

★ जो तेल, सिरका, मसाले आदि अचार में प्रयोग किये जायें वे साफ, ताजे व शुद्ध होने चाहिये।

★ अचार में तेल की कभी कमी नहीं होनी चाहिये। अचार तेल में डूबा रहना चाहिये।

★ बिना तेल के अचार को नमक या शक्कर द्वारा प्रिजर्व करते हैं। अचार खराब होने का मतलब है कि अचार में नमक या शक्कर की मात्रा कम डाली गई है अतः आवश्यकतानुसार नमक–शक्कर की पूर्ति कर दें, अचार स्वतः ही ठीक हो जायेगा।

★ बिना तेल का या कम तेल में डाला अचार खराब हो रहा हो तो एक किलो में एक चम्मच के हिसाब से ग्लेशियल एसीटिक एसिड डाल दें।

★ आम के मौसम में एक किलो कच्चे आम छीलकर छोटे टुकड़ों में काटकर नमक, मिर्च व थोड़ी सी हींग डालकर रख दें, जब भी चटनी पीसनी हो इसमें से एक चम्मच डालें। ताजी खटाई से चटनी का स्वाद दोगुना हो जायेगा।

★ आम का अचार लाल दिखे इसके लिए मसाले में चुटकी भर खाने का चूना मिलाएँ।

❖

मर्तबान में अचार भरने से पहले जरा सा सिरका डालकर पूरे मर्तबान में लगा दें फिर अचार डालें। अचार लम्बे समय तक सुरक्षित रहेगा।

टिकाऊ अचार को काँच या चीनी मिट्टी के ढक्कनदार पात्रों में ही रखना चाहिये।

10

घी

- देशी घी में अगर चुटकी भर सेंधा नमक या डली डाल दिया जाए तो वह काफी दिनों तक खराब नहीं होगा।
- घी बनाते समय हल्दी की 3–4 पत्तियाँ डाल देने से घी खुशबूदार बनता है।
- घी बनाते समय उसमें कुछ मेथी के दाने डाल दें तो घी जल्दी खराब नहीं होता।
- घी में से अगर महक आने लगे तो तीन–चार लौंग डाल देने से महक दूर हो जाती है। ताजा शुद्ध घी में तीन–चार लौंग डालने से घी की खुशबू वैसी की वैसी बनी रहेगी।
- पुराने घी से सुगंध नहीं आती हो तो घी में पान के टुकड़े डालकर उबालें। सुगंध और ताजगी लौट आयेगी। लम्बे समय तक खराब नहीं होगा।
- घी तेल को बदबू रहित रखने के लिए उसमें गुड़ का टुकड़ा डाल दें।
- देशी घी में बू आने लगे तो घी की मात्रा का 5 प्रतिशत दही डालकर गरम करें। घी से बू दूर हो जायेगी।
- घी तेल गरम करते समय यदि चटकने लगे तो चुटकी भर नमक डाल दें। नमक डालने से तलते वक्त घी तेल कम जलता है।

घी में हींग का टुकड़ा डालने पर और खुशबू उठे तो वह घी असली है वरना नकली है।

★ घी की थैली से घी की आखिरी बूँद निकालने के लिए थैली में गर्म पानी डालकर हिलाकर थाली में निकाल लें। जब पानी ठण्डा हो जाये घी की परत जम जायेगी। घी आसानी से निकाल लें।

★ पूड़ी-पकौड़ी, चिप्स, पापड़ आदि तलने के बाद कड़ाही में बचा घी काला हो जाता है तथा तली हुई चीज के अंश के टुकड़े भी उसमें रह जाते हैं। इस घी में बराबर मात्रा में पानी मिलाकर गर्म करें। जब घी पानी मिल जाये तो ठण्डा करके फ्रिज में रख दें। घी ऊपर सतह पर जम जायेगा और गन्दा पानी नीचे रह जायेगा। घी निकाल लें और पानी फेंक दें।

★ मैदा व आटे में मोयन देना हो तो घी-तेल इतना गरम करें कि उसमें से धुआँ निकलने लगे। फिर कुछ ठण्डा हो जाने पर मोयन दें। कम घी तेल में चीजें खस्ता बनेंगी।

★ घी दानेदार बनाना हो तो मक्खन मलाई या क्रीम पकाते समय पानी के छींटे दें। घी दानेदार बनेगा।

★ नीबू के पत्ते या करी पत्ते तड़का कर घी में डालने से बहुत दिनों तक घी में दुर्गन्ध नहीं आती।

★ तेल या घी के ऊपर गन्दगी की परत आ गई हो तो उसे गर्म करके उसमें एक आलू का टुकड़ा तल लें, मैल अलग हो जायेगा।

तलने के पश्चात् घी तेल काला हो गया हो तो कॉफी फिल्टर में छान लें, एकदम साफ व गन्दगी रहित हो जायेगा।

11

तेल

★ जले हुए तेल या घी में थोड़ा-सा सिरका डालें तथा ढक दें। थोड़ा तड़कने पर गैस बंद कर दें, तेल साफ हो जायेगा।

★ एक चम्मच सिरका तेल में डालें तथा तेल गर्म करें। इसमें तली हुई चीजों के फैट्स कम हो जाएँगे तथा व्यंजन में घी या तेल अन्दर नहीं भरता है, व्यंजन भी अच्छा हो जाता है।

★ तिल्ली या सरसों के तेल को गर्म करते समय यदि झाग उठते हों तो उसमें इमली का एक टुकड़ा डाल दें। झाग नहीं उठेंगे।

★ पूरियाँ तेल में तलें और उनका रंग सफेद रहे इसके लिए अमरूद या आम के चार-पाँच पत्ते डाल दें। इससे तेल में झाग भी नहीं आयेगा।

★ सरसों के तेल में पूरी पराठा, मठरी तलने पर गंध नहीं आयेगी और न स्वाद कड़वा होगा, व्यंजन वनस्पति में तला लगेगा।

★ सर्दियों में नारियल का तेल न जमे इसके लिए एक दो टिकिया कपूर की डाल दें या कुछ बूँदें कैस्टर ऑयल की डालें।

❖

गरम तेल में ब्रेड का टुकड़ा डाल देने से घी तेल बाहर छिटकता नहीं है।

मक्खन चीज

12

चीज को कागज में लपेटकर फ्रिज में रखने से उस पर अतिरिक्त नमी नहीं जमती।

★ चीज में अगर फफूँदी लग गई हो तो उसे फेंकें नहीं, चाकू से खुरच कर फफूँद निकाल देने से वह पहले जैसी हो जायेगी।

★ चीज को हमेशा एल्यूमिनियम फॉइल में लपेटकर रखें।

★ चीज को फ्रिज में रखते समय उसके साथ थोड़ी सी चीनी रख दें तो वह ताजी व मुलायम बनी रहेगी।

★ मक्खन को ज्यादा दिन ताजा रखना हो तो नमक मिले पानी में रखें तथा पानी रोज बदलते रहें।

★ मक्खन बासी हो गया हो तो पानी में एक चुटकी खाने का सोडा मिलाकर मक्खन उसमें डाल दें। मक्खन की बदबू व बासीपन दूर हो जायेगा। गर्मी का मौसम हो तो उसमें बर्फ डाल दें।

★ मक्खन से घी निकालते समय गरम मक्खन में एक चम्मच चीनी और एक चम्मच नमक डाल दें, घी बर्तन में नहीं चिपकेगा।

★ क्रीम या मलाई से मक्खन निकालते समय थोड़ी सी चीनी डाल दी जाये तो मक्खन अधिक व जल्दी निकलेगा।

★ सर्दियों में ब्रैड पर मक्खन लगाना मुश्किल होता है। चाकू गरम करके मक्खन लगाएँ।

★ मथनी से मथकर मक्खन निकालते समय यदि हाथ रीठे के पानी से धो लिये जाएँ तो मक्खन हाथ पर चिपकता नहीं।

★ मक्खन कई दिनों का पुराना हो गया हो और दुर्गन्ध छोड़ता हो तो ठण्डे पानी में चुटकी भर सोडियम बाई–कार्बोनेट मिला दीजिये। मक्खन को इस पानी में डालकर पाँच मिनट बाद निकाल लें। गन्ध मिट जाएगी। यदि गर्मी का मौसम हो तो पानी में बर्फ डाल दें।

★ चीज कसते समय कद्दूकस पर थोड़ा–सा तेल लगा दें, चीज कद्दूकस पर चिपकेगा नहीं।

चीज को सिरके से भीगे कपड़े में लपेटकर रखें, इससे वह पिघलेगा नहीं।

13

पनीर

★ दूध में सिरका डालकर पनीर बनाने से पनीर मुलायम बनता है।

★ दूध को फाड़ने के बाद उसके ऊपर एकदम ठण्डा पानी डाल दें, पनीर गाढ़ा बनेगा।

★ पनीर में चमक लाने के लिए या मुलायम रखने के लिए तलने के बाद उसे चुटकी भर हल्दी मिले गरम पानी में भिगो दें।

★ उबलते दूध में नीबू निचोड़कर गैस बन्द कर दें। दूध को चलाते रहें जब तक दूध पूरा फट न जाये, 20 मिनट अलग रखें। अब बारीक कपड़े में 30 मिनट के लिए बाँध दें और चकले के नीचे रखें।

★ दो सौ ग्राम दूध में एक लीटर छाछ मिलाकर उबालें फिर छानें, पनीर तैयार है।

★ पनीर बनाने वाले दूध की मलाई न निकालें, इससे पनीर नर्म बनेगा।

★ पनीर तलने के बजाय पानी में उबालें। यह नरम भी रहेगा और बिखरेगा नहीं।

★ पनीर बनाने के लिए दूध को नीबू के बजाय फिटकरी से फाड़ें। पनीर ज्यादा मात्रा में बनेगा तथा बहुत नरम बनेगा।

★ पनीर बनाते समय अगर उसमें थोड़ी सी क्रीम मिला दें तो पनीर मुलायम बनेगा।

पहले दिन का पनीर का पानी दूध फाड़ने के काम में लें, पनीर अच्छा बनेगा।

★ पनीर को सख्त होने से बचाने के लिए कटे हुए सिरों पर मक्खन लगा दें।

★ पनीर बनाते समय दूध को नीबू की जगह दही से फाड़ें, पनीर अधिक मुलायम बनेगा।

★ पनीर को हाथ से न निचोड़ें, बाँधकर लटका दें, अपने आप पानी निचुड़ने दें।

★ पनीर को ताजा बनाए रखने के लिए मलमल के छोटे टुकड़े पर सिरका की बूँदें डालकर पनीर लपेट दें। ऊपर से कागज में लपेटकर फ्रिज में रखें।

★ पानी में डालकर पनीर को फ्रिज में रखें, पानी प्रतिदिन बदलते रहें। 5–7 दिन में पनीर खराब नहीं होगा।

★ पट्ठे के डिब्बे या मोटे ब्राउन पेपर या पेपर नैपकीन में लपेटकर रखने से पनीर अधिक समय तक ताजा बना रहता है।

★ घर में बना पनीर कपड़े में लपेटकर पानी में डाल दें। इससे वह नरम बना रहेगा।

★ पनीर को फ्रिज में रखने से पहले उसमें थोड़ी सी चीनी मिला देने से वह ताजा व नरम बना रहेगा।

★ पनीर को फ्रिज में रखने से पहले ब्लाटिंग पेपर में लपेट दें। अधिक समय तक ताजा रहेगा।

★ पनीर काटने के लिए तेज धार के चाकू की अपेक्षा कम धार वाले चाकू ज्यादा बेहतर है। धार को गर्म करके काटने से पनीर मक्खन की तरह आसानी से कटेगा।

★ पनीर फाड़ने के बाद इसके पानी में थोड़ा–सा दही डालकर रात में रख दें, सुबह इसकी कढ़ी बनाएँ। कढ़ी बहुत ही स्वादिष्ट बनेगी।

★ मुलायम पनीर को कद्दूकस करने से पहले 15 मिनट फ्रिज में रखें। पनीर को कद्दूकस करने में आसानी रहेगी।

★ फ्रिज में रखा पनीर या मावा कद्दूकस करने से पूर्व कद्दूकस पर थोड़ी सी चिकनाई लगा दें, पदार्थ जरा भी नहीं चिपकेगा।

★ पनीर सूख गया हो तो कद्दूकस करके सब्जी में इस्तेमाल करें।

★ पनीर जमाते समय छैने में लाल मिर्च पिसी हुई, बारीक कटा हरा धनिया या पोदीना के पत्ते व नमक डालें, सब्जी अच्छी बनेगी।

★ घर पर पनीर बनाते समय फटे दूध का पानी कभी मत फेंकिये। उससे आटा गूँथिये। नमक और काली मिर्च डालकर सूप बनाकर पीयें। यह पानी अत्यधिक पौष्टिक होता है।

★ पनीर के टुकड़ों को फ्राई करने के बाद नमक के ठण्डे पानी में डाल दें। सब्जी पूरी तरह से पकने के बाद ही उसमें पनीर मिलाएँ। इससे पनीर मुलायम रहेगा।

❖

पनीर को हल्का सा तलकर रखें, जल्दी खराब नहीं होगा।

फल

14

★ केला जल्दी पकाने के लिए पॉलीथिन में रखें, साथ में एक सेब डाल दें।

★ फल व सब्जियों को ज्यादा दिनों तक ताजा रखने के लिए कागज में लपेटकर फ्रिज में रखें।

★ केलों को गीले कपड़े में लपेटकर पॉलीथिन में रखें, अधिक दिन ताजा रहेंगे।

★ कच्चे फलों को ब्राउन पेपर या अखबार में लपेटकर रखने से फल शीघ्र ही पक जाते हैं।

★ नीबू को ताजा रखने के लिए एक लम्बी गिलासनुमा बोतल या एयरटाइट डिब्बे में रखकर फ्रिज में रखें।

★ केलों को शीशे के जार में बन्द करके फ्रिज में रखने से केले अधिक दिन तक ताजा रहेंगे व छिलका भी काला नहीं पड़ेगा।

★ फलों पर नीबू का रस छिड़ककर पॉलीथिन की थैली में रखकर फ्रिज में रखने से फल तरोताजा बने रहते हैं। एक तरह के फल एक ही थैली में रखें।

★ फ्रूट सलाद के लिए फल काटते समय थोड़ी–सी पिसी चीनी बुरकने से वे काले नहीं पड़ेंगे।

★ केले के टुकड़ों को कुछ देर दही में भिगोकर चिप्स बनायें, वह काले नहीं पड़ेंगे।

★ चाकू पर कटा नीबू रगड़ें फिर सेब, केला काटें, काले नहीं पड़ेंगे। चाकू पर बीच–बीच में नीबू रगड़ते रहें।

चाकू पर नमक लगाकर काटने से केला, सेब जैसे फल के टुकड़े काले नहीं पड़ते।

- ★ सेब को उबालते समय दो तीन बूँद नीबू के रस की डाल दें, तो सेब काला नहीं पड़ेगा।
- ★ कच्चा नारियल कटा हुआ 2–3 दिन रखने से खराब हो जाता है, इसके ऊपर नमक छिड़क दें, खराब नहीं होगा।
- ★ गन्ना, गाजर, चुकन्दर, टमाटर आदि का जूस निकालते समय थोड़ी सी अदरक डाल दें, तो स्वाद नया व पौष्टिकता बढ़ जायेगी।
- ★ संतरे पिलपिले हो गये हों और फाँकें छिल नहीं रही हों तो सन्तरों को बर्फ पर रख दें। सख्त हो जाने पर फाँकें आसानी से छिल जायेंगी।
- ★ छुरी को सिरके में डुबोकर सलाद व सेब काटें, काले नहीं पड़ेंगे।

❖

कटे हुए सेब, केला, नाशपाती आदि को नीबू के रस में एक बार डुबोकर निकाल लें। इससे वे खाने में तो स्वादिष्ट लगेंगे ही, कुछ देर रखे भी रह जाएँ तो भी अपने वास्तविक रंग में ताजा रहेंगे।

अंगूर व नीबू को पाँच मिनट गरम पानी में रखकर रस निकालें, खूब रस निकलेगा।

अच्छे तरबूज़ की पहचान के लिए उसे उंगली से खटखटायें और आवाज सुनें। जितनी खोखली आवाज आयेगी, तरबूज़ उतना ही स्वादिष्ट होगा।

15

पापड़

★ तले पापड़ को तवे पर दुबारा सेंकने पर ज्यादा क्रिस्पी बन जायेंगे।

★ पापड़ पर गर्म प्रेस कर दें तो पापड़ सीधे रहेंगे, काले हुए बिना सिक जायेंगे।

★ आलू के पापड़ बनाते समय चुटकी भर खाने का सोडा डाल देने से पापड़ करारे बनते हैं।

★ चावल के पापड़ बनाते समय इसमें थोड़ी सी उड़द की दाल का आटा मिलाकर पापड़ बनाएँ। पापड़ खूब पतले बनेंगे व जायका भी अच्छा रहेगा।

★ उड़द मूँग के पापड़ बनाते समय आटे को मेथी दाने के पानी से गूँथा जाए तो वे कभी खराब नहीं होंगे तथा पौष्टिक भी हो जायेंगे।

★ यदि पापड़ के दोनों तरफ हल्का सा तेल लगाकर सेंकें तो तले हुए पापड़ से चिकनाई कम लगेगी तथा खाने में तले हुए पापड़ का टेस्ट आयेगा।

★ पापड़ को टूटने से बचाने के लिए उन्हें चावल से आधे भरे हुए कंटेनर में रखें।

★ पापड़ की सब्जी में दही डालकर बनाने से सब्जी स्वादिष्ट बनती है।

★ पापड़ के डिब्बे में थोड़ा-सा मेथीदाना डालकर रखें। पापड़ अच्छे रहेंगे।

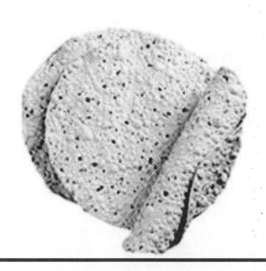

❖

पापड़ बेलते समय तेल के स्थान पर घी लगाएँ। पापड़ काले नहीं पड़ेंगे।

नमकीन नाश्ता

16

फटे हुए दूध के पानी से पकौड़े का बेसन घोलें, खस्ता करारे पकौड़ों का आनन्द उठाएँ।

★ मूँग की दाल के आटे के पकौड़े व कचौरी बनायें। इसे 2 घण्टे पहले भिगो दें। पकौड़ों में थोड़ा-सा बेसन भी मिलायें।

★ कटहल के पकौड़े चावल के आटे के बनायें। पकौड़े अधिक करारे बनेंगे। चावल का आटा 15 मिनट पहले भिगो देना जरूरी होता है।

★ बचे चावल में थोड़ा-सा बेसन, दही, हरी मिर्च व नमक, लाल मिर्च मिलाकर पकौड़े बनाये।

★ पकौड़े के बेसन में थोड़ा-सा दही मिला देने से पकौड़े अधिक खस्ता व स्वादिष्ट बनेंगे।

★ दाल के पकौड़े बनाते समय तेल में एक चम्मच घी डाल दें, तेल की खपत कम होगी और पकौड़े करारे बनेंगे।

★ बेसन में चिउड़ा भिगोकर डाल देने से पकौड़े खस्ता व स्वादिष्ट बनेंगे।

★ पकौड़े कुरकुरे करने के लिए फेंटे हुए बेसन में थोड़ा-सा गर्म घी डाल दें।

★ बेसन को इतना फेंटें कि पानी में बेसन की एक बूँद डालने पर बेसन ऊपर आ जाये, यदि नहीं ऊपर आये तो समझें बेसन और फेंटना है। इससे पकौड़ियाँ जालीदार बनेंगी।

★ बेसन के घोल में एक चम्मच अचार का मसाला डालें, पकौड़े स्वादिष्ट व कुरकुरे बनेंगे।

★ पकौड़ी या कोफ्ते तलने से पहले तैयार सामग्री में थोड़ा कॉर्न फ्लोर मिला दीजिये। इससे पकौड़े या कोफ्ते कम तेल सोखेंगे, साथ ही कुरकुरे बनेंगे।

★ बेसन के पकौड़े बनाते समय उसमें थोड़ा–सा चावल का आटा मिला दिया जाए तो पकौड़े और अधिक कुरकुरे और स्वादिष्ट बनेंगे। तलने में तेल भी कम लगेगा।

★ बेसन के पकौड़े बनाते समय अगर मिश्रण में थोड़ा–सा सूखी ब्रेड का चूरा मिला दिया जाए तो पकौड़े कुरकुरे बनेंगे तथा तलने में तेल कम लगेगा।

★ ब्रेड पकौड़ों को ज्यादा स्वादिष्ट बनाने के लिए ब्रेड स्लाइस को थोड़े से दूध में डुबोएँ, उसके बाद बेसन में डालें।

★ बेसन के पकौड़े बनाते समय घोल में दूध मिलाने से अच्छे फूलते हैं।

★ पकौड़ियाँ बनाते समय हींग और सौंफ डालें, पकौड़ियाँ स्वादिष्ट बनेंगी।

★ प्याज के पकौड़े कुरकुरे बनाने के लिए प्याज में नमक मिलाकर रखें। कुछ देर बाद अतिरिक्त पानी निकालकर इसी पानी में बेसन मिलाकर पकौड़े तलें।

★ कोफ्ते बनाते समय उसमें ब्रेड पीसकर मिलाएँ तो कोफ्ते एकदम मुलायम बनेंगे।

★ बेसन के चीले बनाते समय मसाले के साथ थोड़ी सी सूजी भी डालें। चीले पतले व कुरकुरे बनेंगे तथा तवे पर चिपकेंगे नहीं।

★ बेसन के चीले बनाते समय उसमें अदरक–लहसुन को पीसकर पेस्ट बनाकर डालें। चीलों का स्वाद बढ़ जायेगा।

★ बेसन में एक चौथाई चावल का आटा मिलाकर बनाये गये सेव अधिक खस्ता बनते हैं।

★ भुजिया के मिश्रण में एक प्याला दही मिलाएँ। इससे सेव खस्ता व कुरकुरी बनेगी।

★ उड़द के दरदरे आटे को 2 घण्टे पहले भिगो दें, लाल मिर्च, हींग, नमक, सौंफ, कालीमिर्च, सोंठ, गर्म मसाला डालकर गेहूँ के आटे की लोई के बीच में भरकर पूरी उतारें।

★ नूडल्स बनाते समय एक चम्मच घी डाल दें, आपस में चिपकेंगे नहीं ।

★ नूडल्स उबालने के बाद अगर उसमें ठण्डा पानी डाल दिया जाये तो वह आपस में चिपकेंगे नहीं ।

★ सूजी का उपमा बनाते समय एक चम्मच अचार का मसाला डालने से स्वाद बढ़ जाता है ।

★ खरबूजे के छिलकों को मोटा–मोटा काटकर धूप में सुखा लें । अब जब चाहें घी में तलकर नमक मिर्च मिलाकर खायें, टेस्टी व कुरकुरे लगेंगे ।

★ मठरी का आटा दही में गूँथ लें तो मठरी अधिक खस्ता व स्वादिष्ट बनेगी ।

★ मठरी की मैदा गूँथते समय थोड़ा–सा हरा धनिया या हरी मेथी या पालक या पोदीना बारीक काटकर डालें, मठरी स्वादिष्ट बनेगी ।

★ मठरी के आटे में गर्म तेल का मोयन देकर थाली से ढककर 3–4 घण्टे रख दें । अब मठरी बनायें, मठरी अधिक खस्ता बनेगी ।

★ मठरी, नमक पारे या गुझिया, दाल पकवान आदि को 1 घण्टे पहले बनाकर रख दें । इससे ये तलते समय थोड़ा सूख जायेंगी तथा फूलेंगी नहीं ।

★ कचोरी को ज्यादा खस्ता बनाने के लिए मैदे में थोड़ा–सा गाढ़ा दही मिलाकर गूँथें ।

★ कचोरी का आटा गूँथते समय उसमें थोड़ी सी शक्कर मिलायें, कचोरियाँ अच्छी फूलेंगी ।

★ कचोरी में स्ट्रा को चुभो दें, ऐसा करने से कचोरी के अन्दर का मिश्रण उबलकर बाहर नहीं आयेगा ।

★ कचोरी भरने के बाद बीचों बीच अँगूठे से दबा देने से कचोरियाँ खूब अच्छी फूलती हैं ।

★ कचोरी समोसे के लिए मैदा गूँथते समय मोयन के साथ एक चम्मच नीबू का रस मिलाने से कचोरी समोसे बहुत खस्ता बनते हैं ।

★ समोसे के लिए मैदा गूँथते समय मैदे में एक चम्मच सिरका डालें । समोसे कुरकुरे बनेंगे और तेल भी कम लगेगा ।

★ दही को बाँध दें, इसमें प्याज, गाजर, पत्तागोभी मिलाकर सैंडविच बनायें ।

पानी पूरी के लिए पूरी बनाते समय महीन सूजी में समुद्र फेन का पाउडर मिलाने से वे करारी बनेंगी ।

- ज्यादा मात्रा में सैंडविच बनाने हों तो मक्खन को काटकर एक बड़े बर्तन में दो कप उबले दूध के साथ मिलाकर अच्छी तरह फेंटें। अब सैंडविच पर इसे फैलाना आसान हो जायेगा।
- घर में बनाये बिखरे हुए पनीर में नमक कालीमिर्च डालकर सैंडविच बनायें।
- आलू की पेटीज बनाते समय आलू में सूजी या मुरमुरे का चूरा मिलायें, पेटीज कुरकुरे बनेंगे।
- दाल मोठ की दाल को गलाते समय उसमें एक कप कच्चा दूध अवश्य डालें। दाल मोठ फूली हुई व खस्ता बनेंगी।
- अंकुरित दाल को फ्रिज में रखने से पहले उसमें एक चम्मच नीबू का रस मिलाएँ। दाल ताजा रहेगी तथा उसकी खुशबू फ्रिज में नहीं फैलेगी।
- कटलेट्स को भुने चने के पाउडर के पेस्ट में डुबोकर तलें। कटलेट्स अच्छे फ्राई होंगे तथा कुरकुरे बनेंगे।
- मैदे का नाश्ता तलते समय एक चुटकी खाने का सोडा उबलते तेल में डाल दें, इससे खाद्य पदार्थ कुरकुरे हो जायेंगे।
- ढोकला बनाते समय खमीर में 2 चम्मच बेकिंग पाउडर डालने से वे मुलायम व स्पंजी बनेंगे।

आम के पन्ने में भुनी हुई लौंग का चूर्ण मिलाने से वह स्वादिष्ट बनेगा।

- खमन बनाते समय मीठे सोडे की जगह ईनो का इस्तेमाल करें, असर खुद-ब-खुद सामने होगा।
- भटूरे की मैदा में थोड़ी सी सूजी मिलाने से भटूरे सिकुड़ते नहीं तथा मुलायम, खस्ता व स्वादिष्ट बनते हैं।
- भटूरे इंस्टेंट बनाने के लिए मैदा में पानी में भीगी हुई ब्रेड मिला लें, आटे में खमीर जल्दी उठेगा।
- भटूरे की मैदा में उबला आलू मसलकर डालें, भटूरे स्वादिष्ट बनेंगे।
- गोल बैंगन काट लें, उस पर कॉर्नफ्लोर बुरककर तेल में तलें, नाश्ते में उपयोग करें।
- मूँगफली तलने से पहले छलनी में डालकर उबलते पानी में डालकर निकाल लें फिर तलें। अब दाने हल्के, करारे व स्वादिष्ट बनेंगे।
- आलू छीलकर ठण्डे पानी में डाल दें। फिर चिप्स बना लें, थोड़ी सी मैदा छिड़क कर तल लें, कुरकुरे बनेंगे।
- बाजरे का दलिया या खिचड़ी बचने पर इसमें थोड़ा सा मीठा सोडा डालकर मिला लें। प्लास्टिक की शीट पर भजिये बनाने वाली मशीन से सेव बनाकर धूप में सुखायें। फ्राई करके खाएँ।
- चावल बचने पर उन्हें किसी कपड़े या प्लास्टिक शीट पर फैलाकर सुखाएँ। दो-तीन दिन तक सूखने के बाद तलकर नमक-मिर्च लगाकर चाय के साथ लें।

ढोकले पकाते समय थोड़ी सी पिसी काली मिर्च बुरक दें, स्वाद बढ़ जायेगा।

★ बचे चावल में दही, चीनी व पिसी इलायची मिलाकर मीठा ओल्या बनायें या बचे चावल में दही व नमक मिलाकर राई, मीठे नीम के पत्ते व हरी मिर्च का छौंक लगाकर नमकीन ओल्या बनायें।

★ मक्की का दलिया बचने पर इसमें मटर, प्याज, टमाटर, हरी मिर्च, मेथी, लाल मिर्च का छौंक लगायें, स्वादिष्ट ताजा नमकीन दलिया तैयार है।

★ तलने से पहले कटलेट्स पर साबुदाने का पाउडर लगाकर तलें। कटलेट्स करारे बनेंगे।

★ तले हुए व्यंजन अखबार या पेपर नैपकीन पर रखें तो वह अतिरिक्त तेल सोख लेगा।

★ मैदा की पपड़ी बनाते समय आटा उबले आलू से गूँथें, पपड़ी खस्ता बनेगी।

★ केले के चिप्स तलने हों तो तेल में थोड़ी-सी हल्दी डाल दें। चिप्स काले नहीं पड़ेंगे, खाने में मजेदार और रंग भी सुनहरा पीला रहेगा।

★ सूखी सब्जी बच गई हो तो उसे मैश करके उसमें अदरक, हरी मिर्च, बेसन मिलाकर मिक्स वेजीटेबल कोफ्ते या कटलेट बना सकते हैं।

★ किसी भी सब्जी के मसाले में फटे दूध का छैना डालकर अच्छी तरह भून लें। सब्जी का स्वाद बढ़ जायेगा।

★ बारीक कटा प्याज, धनिया, हरी मिर्च, मटर, गाजर में फटे दूध का छेना मिलाकर एकसार करें। बेसन व नमक मिलाकर कटलेट बनाएँ।

★ खिचड़ी या पुलाव बच जाये तो मिक्सी में पीसकर बड़ियाँ या सेव बना लें। सूखने पर तलकर खायें, ये करारी व बेहद स्वादिष्ट लगती हैं।

★ बचे चावल मिक्सी में पीसकर इसमें पिसी उड़द की दाल या सूजी व ईनो डालकर मिलायें। इस मिश्रण से खमण, उत्तपम, इडली-डोसा आदि बनायें।

★ बची हुई रोटी या ब्रेड का मोटा चूरा बना लें। इसमें बारीक कटे प्याज, टमाटर, मूँगफली, हरी मिर्च, धनिया आदि डालकर राई का बघार देकर पोहे बना लें।

★ मूँग, मसूर, राजमा आदि बचे हों तो इसमें आलू, ब्रेड या बचा हुआ चावल मिलाकर मसल लें। इसकी टिक्किया या कबाब बनायें।

★ खिचड़ी, पुलाव, दलिया, चावल, उपमा या पोहे बच जाये तो इसमें ब्रेड क्रम्बस, बारीक प्याज में बेसन या मक्की का आटा डालकर पकौड़े बनायें या ग्रेवी में कोफ्ते बनाकर डालें।

❖

आलू को फ्राई करने से पहले बटर मिल्क में भिगो दें, इससे आलू ज्यादा स्वादिष्ट और मुलायम बनेंगे।

नाश्ता मिठाई

खीर बनाते समय शक्कर के साथ एक चुटकी नमक डालने से स्वाद और बढ़ जायेगा।

★ खीर को आँच से उतारते समय जरा सा गुड़ पीसकर मिला देने से खीर का कलर अच्छा हो जाता है तथा उसमें सौंधी खुशबू आने लगती है।

★ खीर गाढ़ी बनाने के लिए दूध में चावल मिलाते समय नारियल का बूरा मिलायें। 1 लीटर दूध में 100 ग्राम बूरा पर्याप्त है।

★ खीर पतली हो तो चावल पानी में भिगो दें, उन्हें पीसकर खीर में मिलाकर उबाली ले लें। खीर गाढ़ी हो जायेगी।

★ खीर बनाते समय उसमें एक चम्मच मक्की का आटा डाल देने से खीर गाढ़ी हो जायेगी तथा स्वाद भी बढ़ जायेगा।

★ खीर बनाने से पहले चावल को 1 चम्मच घी में हल्की आँच पर कड़ाही में भूनें। खीर स्वादिष्ट बनेगी।

★ खीर स्वादिष्ट व गाढ़ी बनाने के लिए उसमें थोड़े से खसखस के दाने पीसकर मिला दें तथा थोड़ा-सा जायफल मिला देने से खीर गाढ़ी व स्वादिष्ट लगेगी।

★ फल वाली खीर बनानी हो तो दूध में एक चम्मच कॉर्न फ्लोर या पिसा हुआ चावल मिलाने से दूध फटेगा नहीं।

★ घीया की खीर में पिसे मखाने डालने से खीर स्वादिष्ट बनती है।

★ खीर बनाने का दूध यदि पतला हो तो अरारोट पाउडर डालें। खीर गाढ़ी व स्वादिष्ट बनेगी।

★ खीर बनाते समय एक ब्रेड के स्लाइस के किनारे निकालकर दूध में डालें।

★ खीर बनाते समय चुटकी भर जावित्री का चूर्ण मिला देने से खीर में अनूठा स्वाद आ जाता है।

★ खीर बनाते समय भीगा हुआ चिउड़ा डालें, खीर गाढ़ी व स्वादिष्ट होगी।

★ सिंवई के दूध में जरा सा कस्टर्ड डालने से सिंवई अधिक गाढ़ी व सुगन्धित बनती हैं।

★ सिंवई बनाते समय यदि उसमें एक-दो बूँद नीबू के रस की डाल दी जाए तो सिंवई का स्वाद बढ़ जायेगा।

★ रबड़ी में खसखस पीसकर डालें तो वह स्वादिष्ट व गाढ़ी बनती है।

★ रबड़ी बनाते समय दूध गाढ़ा होने के बाद चुटकी भर नीबू का सत उसमें मिलायें। रबड़ी दानेदार बनेगी।

★ मूँग की दाल के हलवे में मूँग की दाल के साथ थोड़ी सी चने की दाल भी भिगोकर पीस लें, इससे हलवा स्वादिष्ट बनेगा।

★ किसी भी दाल का हलवा बनाने के लिए पिसी दाल में घी मिलाकर कुकर में बफा (भाप में पकाना) लें। ठण्डा होने पर मिक्सी में पीसें, इसके बाद सेंकें। हलवा जल्दी सिकेगा और स्वादिष्ट बनेगा।

★ सूजी में थोड़ा बेसन मिलाकर हलवा बनाने से हलवा स्वादिष्ट बनेगा।

★ आटे का हलवा बनाते समय ऊपर से जरा सी सोंठ चूर्ण मिला दें, तो हलवा और अधिक स्वादिष्ट अच्छा लगेगा।

★ गाजर का हलवा बनाते समय जब हलवा तैयार होने लगे तो थोड़ा-सा चावल का आटा मिलाकर अच्छी तरह मिलाते हुए भूनें। हलवा खाकर तृप्ति का एहसास होगा।

★ सूजी का हलवा बनाते समय यदि ऐसा लगे कि सूजी ज्यादा भुन गई है तो उसमें एक चम्मच बेसन मिला दें, हलवा सुनहरा बनेगा।

 सूजी के हलवे में पानी की जगह दूध डालने से हलवा जायकेदार बनेगा।

★ हलवा बनाते समय जब आधा भुन जाये तब उसमें गर्म पानी के छींटे दें। फिर पूरा भून लें। इससे हलवा दानेदार बनेगा, उसका रंग अच्छा आयेगा तथा स्वाद में भी फर्क महसूस होगा।

★ हलवा बनाते समय चीनी को पानी में अलग से उबालकर व गलाकर डालें, हलवा नरम खिलखिला व सुनहरा बनेगा।

★ खरबूजे का गूदा या सफेद भाग निकालकर कद्दूकस करके थोड़े से घी में भूनें, चीनी डालें। हलवा स्वादिष्ट बनेगा।

★ गेहूँ के आटे का हलवा बनाते समय थोड़ा सा बेसन या मक्की का आटा डालकर भूनें। हलवा ज्यादा स्वादिष्ट बनेगा।

★ मूँग की दाल का हलवा बनाते समय पहले घी गरम करें उसमें पहले एक बड़ा चम्मच बेसन भूनें फिर दाल की पीठी डालकर हलवा बनायें। इससे हलवे का स्वाद भी बढ़ेगा तथा पीठी कढ़ाही में चिपकेगा भी नहीं।

★ दलिया बनाते समय थोड़े से तिल डालें, बनने के बाद इलायची डालें, स्वादिष्ट बनेगा।

★ ब्रेड को दूध में भिगोकर तलें फिर खायें, ऐसा स्वाद पहले नहीं आया होगा।

★ ब्रेड के दोनों तरफ मक्खन लगाकर सेंकें, स्वाद व करारापन खाने से महसूस होगा।

★ गजक घर पर बनाते समय 8–10 बूँद ग्लिसरीन डालने से गजक की चमक देखते ही बनेगी।

★ मूँगफली की चिक्की बनाते समय उसमें एक चुटकी खाने का सोडा डालें, चिक्की बहुत कुरकुरी बनेगी।

★ दूध में शक्कर डालकर दूध को थोड़ा गाढ़ा करें, अब इस दूध में आटा गूँथकर पूरी बनायें। इससे मुँह में न तो शक्कर आयेगी, न पूरी बेलते समय फटने का डर रहेगा और न ही पूरी पराठा बनाने के बाद कड़क होगा।

★ बूँदी के लड्डू बासी या सूख गये हों तो उन्हें फोड़ कर बारीक कर लें। कड़ाही में थोड़ा सेंकें फिर पानी डाल दें। ताजा स्वादिष्ट हलवा तैयार है।

★ बची हुई मीठी बूँदी को पीस लें, पराठे की लोई में भरकर पराठा सेंक लें, पूरन पोली की तरह लगेगी। इसमें नारियल का बूरा भी मिला सकते हैं।

★ मैदा में गर्म घी का मोयन देकर ठण्डे दूध से गुझिया का आटा गूँथें।

गुझिया बनाते समय मावे में जरा सी सूजी मिला देने से गुझिया फटती नहीं है।

 गाजर के हलवे में थोड़ा-सा जायफल घिस दें, स्वाद अनूठा हो जायेगा।

★ गुझिया तलने पर अगर फट जाने का डर हो तो घी में डालने से पहले उनमें सुई से दो छेद कर देने से वे फटेंगी नहीं।

★ गुझिया के भरावन में थोड़ा खसखस व मखाने मिला दें, गुझिया का स्वाद निराला हो जायेगा।

★ चाशनी बनाते समय चीनी का मैल निकालने के लिए 1–2 चम्मच दूध डालें।

★ चाशनी बनाते समय थोड़ा–सा नीबू का रस डालें तो चाशनी में दाने नहीं पडेंगे।

★ गाढ़ी चाशनी बनाने के लिए एक भाग पानी व चार भाग चीनी लेनी चाहिये।

★ चाशनी बढ़िया तैयार करने के लिए कड़ाही को चिकनी कर लें।

★ गुड़ या चीनी की चाशनी बनाते समय उसमें जरा सा घी या मक्खन मिला दें। चाशनी बर्तन में नहीं चिपकेगी।

★ सर्दियों में जलेबी के घोल में जल्दी खमीर उठाने के लिए घोल में कच्चा पपीता डालकर रख दें। खमीर खूब अच्छा उठेगा।

★ घर में जलेबियाँ बनानी हों तो चाशनी में थोड़ा–सा सिट्रिक एसिड मिलाएँ, जलेबी अधिक स्वादिष्ट व करारी बनेगी।

★ गेहूँ के आटे में खोआ मिलाकर गुलाब जामुन बनायें। मैदा के गुलाब जामुन से ज्यादा स्वादिष्ट लगेंगे।

★ गुलाब जामुन में 100 ग्राम खोआ में 100 ग्राम पनीर, डेढ़ छोटा चम्मच मैदा व चुटकी भर बेकिंग पाउडर मिलाकर बनायें। गुलाब जामुन टूटेंगे नहीं।

★ गुलाब जामुन के मावे में मैदे के साथ सूखा दूध पाउडर डालने से गुलाब जामुन अच्छे बनते हैं। साथ ही मैदा में ज्यादा डाला जा सकता है।

★ गुलाब जामुन के खोये में थोड़ी सी चीनी मिला दें। जब गुलाब जामुन तलेंगे तो चीनी पिघलने से गुलाब जामुन नरम बनेंगे।

★ गुलाब जामुन बनाते समय खोये में थोड़ा–सा दही मिला दें तो वह ज्यादा नरम बनेंगे।

★ गुलाब जामुन कड़े हो गए हों तो कुकर में ढक्कन बन्द करके थोड़ी देर गर्म करें। गुलाब जामुन नर्म हो जायेंगे।

★ गुलाब जामुन के मावे को कद्दूकस करें फिर हाथ या भारी कटोरी से मावे को अच्छी तरह मसलें। मावे को जितना मलेंगे गुलाब जामुन उतने ही अच्छे बनेंगे।

★ गुलाब जामुन की गोली के बीच में एक शक्कर का पताशा रखें, पताशे के ऊपर छेद करके चिरौंजी या एक पिस्ता रखें। तलने पर पताशा पिघल जायेगा जिससे गुलाब जामुन के अन्दर चाशनी भरी रहेगी।

★ रसगुल्ले बनाने में दूध की मलाई पूर्ण रूप से निकाल लें। इससे रसगुल्ले स्पंजी व दानेदार बनेंगे।

★ रसगुल्ले बनाने के लिए पनीर को कपड़े में बाँधकर लटका दें, पानी अपने आप निचुड़ने दें, हाथ से न दबायें। फिर 250 ग्राम पनीर में एक छोटा चम्मच सूजी डालकर हाथ से 10–15 मिनट मसलें ताकि पनीर मुलायम हो जाये। गोलियाँ बनाकर चाशनी में उबालें। रसगुल्ले टूटेंगे नहीं तथा स्पंजी बनेंगे। साधारण गाय के 1 किलो दूध में 10–12 रसगुल्ले बनते हैं।

★ रसगुल्ले की बची चाशनी में आटा व दूध मिलाकर पुए बनायें, नारियल बुरकें; और भी स्वादिष्ट लगेंगे।

★ एक कप मैदा में ¾ कप दही, ½ कप कसा हुआ खोआ मिलाकर मालपुए बनाएँ, स्वादिष्ट बनेंगे।

★ शक्करपारे की मैदा गूँथते समय थोड़ा–सा नमक मिला लें। शक्करपारे अधिक स्वादिष्ट बनेंगे।

★ बंगाली मिठाई बनाते समय रीठे के पानी को दो–तीन बार ही इस्तेमाल करें। ज्यादा डालने से मिठाई कड़वी हो जाती है।

बरफी जमाने के बाद भी कुछ नरम रह जाये तो कुछ देर फ्रिज में रख दें, सख्त हो जायेंगी।

★ रसमलाई बनाने के लिए रसगुल्ले का उपयोग कर रही हों तो उन्हें एक घण्टे के लिए पानी में डुबो दें जिससे वे नरम हो जायेंगे तथा साइज में भी डबल हो जायेंगे। फिर इन्हें दूध में डालें।

★ बेसन के लड्डू का बेसन भूनते समय घी के साथ 1 कटोरी दूध में डालकर भूनें। लड्डू रवेदार व स्वादिष्ट बनेंगे।

★ बेसन के लड्डू बनाते समय बेसन के साथ थोड़ी सी सूजी भी भून लें। लड्डू बहुत अच्छे लगेंगे।

★ दूध की मिठाई बनाने में स्वाद के लिए खट्टापन डालना हो तो दूध में नीबू के रस की बूँद–बूँद कर डालने से दूध फटने का डर नहीं रहता।

★ घी बनाने के बाद जो खोआ बचता है, उसे आटा सेंककर मावा मिलाकर हलवा बनायें। बचे मावे में नारियल का बूरा मिलाकर लड्डू बनायें, स्वादिष्ट बनेंगे।

★ किसी भी चीज की बरफी बनानी हो तो पहले एक हिस्सा चाशनी उबलते ही अलग निकाल लें। शेष चाशनी में बरफी का मिश्रण डालने के बाद उसमें फिर धीरे–धीरे निकाली हुई चाशनी डालें, इससे बरफी न तो नरम जमेगी और न ही सख्त।

★ गिरी की बरफी में दो–तीन बूँद नीबू की डाल दें तो वह सफेद बनेंगी।

★ बेसन की बर्फी बनाते समय थोड़ी सी सूजी डाल दें। बरफी स्वादिष्ट बनेंगी।

★ मूँगफली की बर्फी बनाते समय उसमें थोड़ा–सा तिल पीसकर मिलाएँ, बर्फी ज्यादा स्वादिष्ट बनेगी।

★ बेसन की बर्फी बनाते समय भुने बेसन में एक बड़ा चम्मच चिरौंजी का चूरा मिला दें। स्वाद दुगुना हो जायेगा।

★ बेसन की बरफी बनाते समय उसमें मूँग की दाल का आटा मिलाएँ तो बरफी में नया स्वाद आयेगा।

★ दलिया बनाते समय उसमें भीगा बादाम व काजू का 2–3 चम्मच पेस्ट डालें, दलिया क्रीमी व टेस्टी बनेगा ।

★ सूजी के हलवे में सूजी भूनने पर पानी से पहले चीनी डालें तो गुठलियाँ नहीं पड़ेंगी ।

★ मूँग की दाल का हलवा बनाते समय पिसी दाल को भूनने से पहले उसे कपड़े में बाँधकर लटका दें । उसका पानी निकल जाने पर दाल को सेकें । अब दाल बहुत जल्दी सिकेगी । दाल के पानी को आटे या दाल में मिलाकर काम में लें; या इस पानी में बेसन मिलाकर चीले भी बना सकते हैं ।

शक्करपारे, गुझिया, पपड़ी आदि तलने से पहले सुखा लें, घी, तेल कम लगेगा ।

मालपुए के घोल में एक चम्मच सोंठ पाउडर डालें । मालपुए स्वादिष्ट बनेंगे ।

18

पानी

कपड़े में फिटकरी बाँध लें, इसको पानी में 2-4 बार घुमा दें। पानी की गंदगी नीचे तली में बैठ जायेगी। बरसात में ऐसा ही करें।

प्रतिदिन प्रातःकाल शुद्ध पानी में सिरका मिलाकर पीने से मोटापा कम होता है।

★ लौंग व दालचीनी का तेल खुशबूदार होने के साथ कीटाणुनाशक भी होता है। दालचीनी का प्रयोग पानी में मिलाकर करें। पीने का पानी पीने लायक, घर सुगन्धित व कीटाणुरहित हो जायेगा।

★ पीने के पानी में 1–2 लौंग डालें। पानी पीने में सुगन्धित व कीटाणुरहित हो जायेगा, लौंग रोज बदलते रहें। तुलसी के पत्ते भी डाले जा सकते हैं।

★ भोजन से आधा घण्टा पहले तथा भोजन के 1–2 घण्टे बाद जब प्यास लगे तब पानी पीना चाहिए।

★ खाने के बीच में व अन्त में पानी नहीं पीना चाहिये, यदि प्यास लग ही रही हो तो नीबू मिला पानी या छाछ पियें।

★ पीने के पानी को उबालकर कीटाणुरहित किया जा सकता है।

★ स्वच्छ जल उपलब्ध न हो और किसी नदी तालाब का गन्दा जल पीने व रसोई बनाने के लिए बाध्य होना पड़े तो पानी में नीबू का रस मिलायें। इससे जल के कीटाणु, गन्दगी व हानिकारक प्रभाव मिट जाते हैं।

★ यात्रा में जगह–जगह का पानी पीना पड़ रहा हो तो एक चुटकी हल्दी फाँककर पानी पी लें या हल्दी की गाँठ पानी में डाल दें तो पानी बदलने का असर चला जायेगा।

★ गर्म पानी को अधिक देर तक गर्म रखने के लिए उसमें थोड़ा–सा नमक मिला दें। ❖

19

इडली-डोसा

डोसे के घोल में एक चम्मच चीनी डाल दें। डोसा अधिक कुरकुरा व स्वादिष्ट बनेगा।

डोसे के दाल चावल में थोड़ी सी अरहर की दाल भी मिला दें। डोसे कुरकुरे बनेंगे।

★ इडली का घोल पतला हो जाने पर भुनी हुई सूजी मिलाने से इडली का घोल ठीक हो जाता है और इडली अधिक मुलायम बनती है।

★ दो पापड़ पाँच मिनट के लिए पानी में भिगो दें। इस पानी को इडली के मिश्रण में डाल दें। इडली स्पंजी बनेगी।

★ इडली बनाते समय मिश्रण में थोड़ा-सा मेथी पाउडर मिला दें। इडली अच्छी फूलेगी व नर्म बनेगी।

★ इडली पकाने के लिए रखते समय ऊपर थोड़ी सी काली मिर्च व पोदीना पाउडर बुरक दें, स्वाद बढ़ जायेगा।

★ इडली को ज्यादा फूली हुई व नर्म बनाने के लिए 4-5 चम्मच पके हुए चावल पीसकर मिश्रण में मिलाकर खमीर उठाने रख दें।

★ इडली व डोसे के बचे घोल में पान का पत्ता डाल दें, तीन चार दिन खराब नहीं होगा। डोसे के मिश्रण पर पान के पत्ते रखने से वह खट्टा नहीं होता।

★ इडली-डोसे के मिश्रण में एक चम्मच सिरका डाल दें, रंग खिला-खिला सा रहेगा, इडली डोसे जालीदार बनेंगे तथा और भी ज्यादा स्वादिष्ट हो जायेंगे।

★ डोसे की दाल में थोड़ी सी चने की दाल व घोल में थोड़ी सूजी मिला दें।

★ इडली व डोसे के लिए भिगोने से पहले चावल को जरा सा भून लें फिर धोकर भिगोयें। इससे इडली स्पंजी और डोसा करारा बनेगा।

★ डोसे के चावलों में थोड़े से उबले चावल मिलाकर पीसें तो डोसा अधिक करारा और पतला बनेगा।

★ इडली–डोसा बनाने के लिए दाल चावल भिगोते समय एक कप उड़द की दाल हो तो एक चम्मच मेथी दाना डाल दें तथा उसे भी साथ में पीस लें। इससे इडली डोसा अधिक मुलायम बनेगा तथा खाने से गैस नहीं बनेगी तथा तवे पर चिपकेगा भी नहीं।

★ डोसे के दाल चावल पीसते समय थोड़ा–सा चिउड़ा डाल दें तो डोसा करारा बनता है।

★ तवे पर नमक के पानी के छींटे देने या नमक के पानी के घोल में कपड़ा भिगोकर तवा पोंछने के बाद डोसा बनाने से वह ज्यादा कुरकुरा बनेगा और चिपकेगा नहीं।

★ डोसे का घोल ज्यादा खट्टा हो गया हो तो घोल में 2 गिलास पानी डाल दें। थोड़ी देर बाद ऊपर का पानी निकालकर डोसे बनायें। खटास कम हो जायेगी।

★ सांभर बनाते समय अरहर दाल में थोड़ा–सा मेथीदाना डालकर उबालें। सांभर 24 घण्टे तक खराब नहीं होगा तथा गैस भी नहीं बनेगी।

★ दोपहर के बचे हुए चावल में नमक, खट्टा दही, पहले भिगोई हुई सूजी और गरम पानी मिलाकर मिक्सी में बारीक पीस लें। इसमें जीरा मिलाकर डोसे बनाएँ। डोसे बहुत करारे व स्वादिष्ट बनेंगे।

★ इडली डोसे, दाल के पकौड़े, दही बड़े या मंगोड़े व पकोड़े के लिए दाल भिगोते समय थोड़ा–सा दूध डालें और पीसते समय भी थोड़ा दूध डालकर फेंटें। इसके अलावा घोल में नमक तलने के ठीक पहले डालें। इससे यह कुरकुरे बनेंगे तथा तलने में तेल भी कम लगेगा। पहले नमक डालने से व्यंजन का कुरकुरापन जाता रहता है।

★ सर्दियों में डोसे के घोल में खमीर उठाने के लिए कच्चा पपीता डालकर रख दें। खमीर खूब अच्छा उठेगा।

★ सर्दियों में इडली–डोसे के मिश्रण को रात में स्टेबलाइजर के ऊपर रख दें। इससे खमीर अच्छा उठेगा।

★ कच्चे आलू को बीच में से काटकर गर्म तवे पर प्रत्येक डोसे के बाद घिस दें, डोसा तवे पर चिपकेगा नहीं तथा डोसा पतला फैलेगा।

★ डोसा बनाते समय हर बार तवे पर प्याज रगड़ें, इससे डोसा चिपकेगा नहीं तथा टूटेगा नहीं।

❖

डोसा बनाने के पहले तवे पर थोड़ा–सा नमक गुलाबी होने तक भूनें। डोसा चिपकेगा नहीं।

20

सलाद

सलाद को लम्बे समय तक ताजा रखने के लिए काटने से पहले सब्जियों को थोड़ी देर नमक के पानी में रखें।

टमाटर के डण्ठलों पर मोम लगा देने से वे कई दिनों तक ताजा रहते हैं।

★ सलाद बनाने से पहले उन्हें कुछ देर के लिए फ्रीजर में रख दें जिससे वे कड़े और क्रिस्पी हो जायेंगे।

★ सलाद में यदि नमक डालना हो तो सर्व करते समय डालें। इससे सलाद नरम नहीं होगा तथा पानी नहीं छोड़ेगा।

★ पत्तागोभी का सलाद बनाते समय इसे काटकर बर्फ के पानी में 60 मिनट भिगोएँ। पत्तों में करारापन बना रहेगा।

★ टमाटर लम्बा काटकर सलाद में डालें, इससे वह काफी समय तक ताजा रहेगा।

★ मूली, शलजम, चुकन्दर तथा टमाटर जैसी सब्जियाँ यदि सूख गई हों तो इन्हें रात भर नमक मिले पानी में डाल दें, सुबह फिर से ताजा मिलेंगी।

★ सूखी सब्जियों को नीबू मिले पानी में डालकर रखने से फिर से ताजा हो जाती हैं।

★ सलाद के पत्ते गर्मी के कारण शीघ्र ही झुलस जाते हैं, इन्हें खाने से पहले बोरेक्स पाउडर मिले पानी में डालने से वे कुरकुरे हो जायेंगे।

★ सलाद में सिरके का उपयोग करने से स्वाद व गुणवत्ता दोनों बढ़ते हैं।

★ सलाद को काटने के लिए लोहे की छुरी कभी भी इस्तेमाल न करें, हमेशा स्टील की छुरी काम में लें।

❖

21

केक

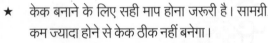

हमेशा केक टिन में पहले चिकनाई लगायें या मैदा बुरक दें फिर मिश्रण को डालें।

- ★ केक बनाने के लिए सही माप होना जरूरी है। सामग्री कम ज्यादा होने से केक ठीक नहीं बनेगा।
- ★ नरम व फूला हुआ केक बनाने के लिए केक को हमेशा एक ही दिशा में फेंटें। जब बुलबुले उठने लगें तो समझें कि मिश्रण तैयार हो गया है। एक दिशा में फेंटने से बुलबुले टूटते नहीं, इन्हीं बुलबुलों की वजह से केक फूलता है।
- ★ केक एल्यूमिनियम टिन में अच्छा बनता है इसलिए हमेशा एल्यूमिनियम टिन में ही केक बनायें।
- ★ केक बेक करने से पहले ओवन को 180 डिग्री सेल्सियस पर गरम करें।
- ★ हमेशा ओवन को 10 मिनट पहले गर्म करके रखें फिर केक टिन को ओवन के अन्दर रखें।
- ★ ओवन को बार-बार खोलकर न देखें, ऐसा करने से केक बीच में से दब जायेगा और स्पंज अच्छा नहीं आयेगा।
- ★ केक में चाकू या सलाई डालकर टेस्ट करें, अगर चाकू साफ निकलता है तो केक तैयार समझिये।
- ★ केक ठण्डा होने पर ही केक टिन से बाहर निकालें।
- ★ केक बनने के तुरन्त बाद न काटें।
- ★ केक अगर टिन से बाहर नहीं निकल रहा हो तो उसे गैस पर हल्का सा गर्म करें। केक आसानी से बाहर निकल आयेगा।

केक में मिलाई जाने वाली मैदा एकदम सूखी होनी चाहिये। मैदा में नमी होने से केक बढ़िया तैयार नहीं होगा। नमी दूर करने के लिए मैदा को धूप में रखें।

★ केक को पंखे के नीचे ठण्डा न करें अन्यथा वह सख्त हो जायेगा।

★ हमेशा केक मिश्रण को टिन में ¾ ही भरें जिससे फूलने के लिए जगह मिल जाए।

★ पिसी चीनी ही केक मिश्रण में डालें। अगर आइसिंग शुगर केक में डाल देंगी तो केक सख्त हो जायेगा।

★ बेकिंग पाउडर ज्यादा पुराना नहीं होना चाहिये अन्यथा केक ठीक से नहीं फूलेगा।

★ सफेद मक्खन ही केक मिश्रण में डालें। अगर रिफाइंड तेल डालना हो तो मक्खन की मात्रा थोड़ी कम लें। मक्खन डालने से ही केक ज्यादा मुलायम बनता है।

★ केक के मिश्रण को एल्यूमिनियम के बर्तन में न फेंटें, अन्यथा वह काला पड़ जायेगा।

★ केक में मिलाने वाला घी या मक्खन ठोस व ठण्डा होना चाहिये।

★ केक बनाते समय यदि केक फटने लगे तो गुनगुने पानी में नैपकीन डुबोकर निचोड़ें, केक के ऊपर कुछ सैकण्ड के लिए बिछा दें, केक फटेगा नहीं। या पेपर नैपकीन को हल्का गीला करके उसके ऊपर रख दें, केक सही अवस्था में आ जायेगा।

★ फटने का कारण—ओवन पहले से ही ज्यादा गर्म हो, केक टिन में मिश्रण ज्यादा भरा हो, मिश्रण ज्यादा गीला या सूखा हो गया हो, केक ओवन के ऊपरी हिस्से के ज्यादा नजदीक हो।

केक बनाते समय मिश्रण में जरा सी ग्लिसरीन मिला दें इससे केक मुलायम और स्पंजी बनेगा।

★ केक बनाते समय अगर अण्डे कम पड़ें तो एक चम्मच सिरका डाला जा सकता है। लेकिन यह नुस्खा तभी उपयोगी होगा जब केक में फूलने के लिए पर्याप्त मात्रा में बेकिंग पाउडर डाला गया हो।

★ बिना अण्डे का केक बना रही हैं तो केक अच्छा फूले इसके लिए जब केक का पूरा पेस्ट आप तैयार कर लें और टिन की लाइनिंग लगाकर तैयार हो तब तैयार पेस्ट में एक नीबू का रस छानकर मिला दें और मिश्रण तुरन्त टिन में डालकर ओवन में पकाने के लिए रख दें। इससे केक जहाँ ज्यादा फूलेगा वहीं सुनहरी रंगत का और स्पंजी भी बनेगा। आजमाकर देखिये।

★ केक बनाते समय उसमें चुटकी भर नमक डाल दें। स्वाद में अनूठापन आ जाएगा।

★ यदि केक में दूध डालना हो तो गुनगुना करके डालें।

★ केक बनाने के लिए दूध गर्म करके सभी सामग्रियाँ इसमें मिलाएँ। 8-10 घण्टे मिश्रण रखा रहने दें। उसके बाद केक बनाना शुरू करें। ऐसा करने से मिश्रण को ज्यादा फेंटने की जरूरत नहीं पड़ती।

★ केक के घोल में थोड़ा–सा आटा या 2 चम्मच कस्टर्ड पाउडर मिलाने से केक का स्वाद बढ़ जाता है।

- खासकर बेकिंग पाउडर कम रहने पर केक स्पंजी नहीं बनता, और जरा सी अधिक मात्रा होने पर फट जायेगा या दब जायेगा।
- अमूमन केक 45 मिनट में बनकर तैयार हो जाता है। केक पहले दोनों साइड से फूलेगा फिर बीच से। केक जैसे ही बीच में से फूले, सतर्क रहें। केक सुनहरा भूरा हो तभी इसे ओवन से तुरन्त बाहर निकाल लें।
- ओवन से केक निकालने के बाद कम से कम 4 घण्टे का समय उसे ठण्डा होने और सैट होने को दें।
- केक को ओवन में रखने से पहले पानी की कुछ बूँद उस पर छिड़कें, केक नर्म बनेगा।
- केक फेंटने के 5–10 मिनट बाद ही इसे बेक करें। फेंटने के बाद कुछ देर रखने से केक नरम बनता है।
- केक बनाते समय घी व चीनी फेंटने के बाद मैदा के चार हिस्से कर लें। मैदा एक साथ नहीं डालनी चाहिये। थोड़ी–थोड़ी करके मैदा मिलानी चाहिये वरना गाँठें बन जाती हैं।
- सादा केक बनाते समय एक कप दूध मिलायें, केक नरम बनेगा।
- जिंजर केक में दूध के स्थान पर कोल्ड कॉफी मिलाने से अच्छी महक आती है।
- केक बनाते समय चीनी के स्थान पर शहद इस्तेमाल करें, केक ज्यादा अच्छा बनेगा।

- चीनी को भूरा होने तक भूनकर केक में मिलाएँ, रंग खिल उठेगा।
- मेवों को मैदा में लपेटकर डालें। इससे मेवे केक में एक सार फैलेंगे तथा एक ही जगह इकट्ठे नहीं होंगे और केक के नीचे नहीं बैठेंगे।
- केक में अगर मेवा डालना हो तो वह बिल्कुल सूखा होना चाहिये।
- केक या बिस्कुट पर सूखे मेवे डालने हों तो पहले दूध में भिगो दें। इससे बेक करने के बाद मेवे काले नहीं पड़ेंगे तथा बेक करने के बाद वे केक से अलग नहीं होंगे।
- केक में पड़ने वाले घी अथवा मक्खन की मात्रा यदि ज्यादा होगी तो केक सख्त बनेगा।
- केक बनाने में यदि चीनी, मक्खन व मैदा की फिंटाई ठीक से न हो तो केक तैयार होने पर टूट जायेगा।
- बेकिंग पाउडर और मैदा को तीन चार बार छानना चाहिये जिससे केक न टूटे तथा फूला और सॉफ्ट बने।
- केक बनाते समय क्रीम प्रक्रिया तेज करने के लिए चिकनाई और शक्कर की क्रीम बनाने से पहले कटोरी को गर्म पानी से गर्म कर लें।
- मक्खन व चीनी मिक्सी से फेंटते समय मिक्सी को रोक–रोककर चलायें, ऐसे में मिक्सी का ब्लेड गरम नहीं होगा तथा मक्खन भी नहीं पिघलेगा।

सूखे मेवे व फल काटते समय चाकू के किनारे पर थोड़ा-सा घी लगा देने से मेवे चिपकेंगे नहीं।

★ क्रीम बर्तन व बीटर को फ्रिज में ठण्डा कर लें। गर्मी में क्रीम फेंटने में आसानी रहेगी।

★ केक बनाते समय टिन में नीचे दानेदार चीनी बुरक दें, साँचे से केक निकालने में सुविधा रहेगी तथा इससे केक चिकनाई युक्त व स्वादिष्ट होगा।

★ केक जिस बर्तन में बनाना है उसमें घी या मक्खन लगाकर चिकना कर लें फिर एल्यूमिनियम फॉइल लगाएँ तथा बर्तन के एक इंच बाहर रहने दें। इससे तैयार केक को निकालने में आसानी होगी।

★ एक बड़ा चम्मच उबला पानी केक मिश्रण में डालकर चलाएँ तथा उसे तुरन्त ओवन में रखें। केक फूलकर स्पंजी हो जायेगा। स्पंजी तथा स्वादिष्ट केक बनाने के लिए ब्रेड का चूरा डालें।

★ केक में से अण्डे की गन्ध आए इसके लिए केक के मिश्रण को फेंटते समय उसमें एक चम्मच शहद डाल दें। केक स्वादिष्ट भी बनेगा तथा अण्डे की गंध का कुछ पता भी नहीं चलेगा।

★ अच्छा मिश्रण वही होगा जो बर्तन में डालते समय धार की तरह गिरे। अगर कटकर गिरे और लगे कि मिश्रण गाढ़ा हो गया है तो दूध मिलाकर अच्छी तरह फेंटें।

★ केक की आइसिंग के लिए हमेशा आइसिंग शुगर का ही प्रयोग करें।

★ आइसिंग के लिए क्रीम तथा मक्खन ठोस जमा हुआ होना चाहिये। केक पर आइसिंग करते समय, आइसिंग शुगर के साथ निचोड़ा हुआ नीबू डाल दें। इससे स्वाद और गंध बहुत अच्छी हो जायेगी।

★ केक ठण्डा हो जाने पर ही आइसिंग करें।

★ केले की फिलिंग करनी हो तो केले को अच्छी तरह मसलकर उसमें खुबानी जैम व नारियल का बूरा मिलाकर अच्छी तरह मिक्स कर लें।

★ केक पर जैम की फिलिंग करने से पहले केक पर हल्का सा मक्खन लगा दें, इससे जैम केक के अन्दर नहीं जायेगा।

★ केक की आइसिंग पतली हो गई हो तो आइसिंग करने से पहले केक पर हल्की सी मैदा बुरक दें।

★ केक पर आइसिंग करते समय घर में आइसिंग शुगर न हो तो साधारण चीनी पीसकर बारीक कपड़े से छान लें। इसमें चुटकी भर पिसी फिटकरी व दो तीन बूँद नीबू का रस तथा मक्खन या क्रीम मिलाकर फेंट लें। अब जैसी चाहें सजावट करें, चीनी पसीजेगी नहीं।

★ आइसिंग करने के बाद केक को फ्रिज में रख दें तथा थोड़ी देर बाद निकालकर काटें।

★ चाकू को गीला करके केक काटें तो केक अच्छी तरह से कटेगा, टूटेगा नहीं।

★ केक अधिक समय तक ताजा बना रहे, इसके लिए उसके साथ कुछ संतरे के छिलके रखें।

★ केक को लम्बे समय तक ताजा रखने के लिए उसे एयर टाइट डिब्बे में डबल रोटी के टुकडे के साथ में रखें तथा प्रतिदिन उन्हें बदलते रहें।

★ बर्थ डे केक में मोमबत्ती लगाने से पहले हर मोमबत्ती के तल में एक टूथपिक आधी दबा दें और आधी टूथपिक केक में लगाकर मोमबत्ती को खड़ा करें। इस तरह मोमबत्ती सीधी खड़ी रहेगी।

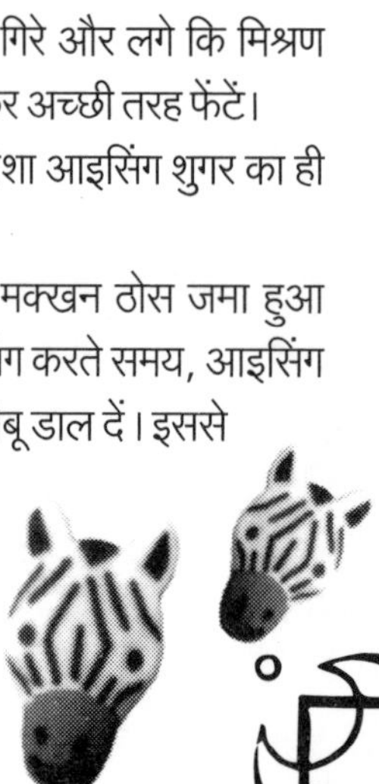

केक की आइसिंग टूथ पिक से करें, आइसिंग सरलता से की जा सकेगी।

22

मेवा

★ ड्राईफ्रूट काटने के लिए कैंची का इस्तेमाल करें। कैंची को गरम पानी में डुबोकर ड्राईफ्रूट काटें।

★ काजू को हल्के गर्म पानी में हल्के हाथ से धोकर सुखा लें। अब घी या तेल में तलने से घी काला नहीं होगा।

★ खरबूजे के छिले हुए बीज फुलाते समय चटक-चटक कर चारों तरफ बिखर जाते हैं। अगर उनको गीला करके फुलाएँ तो वह इधर उधर नहीं बिखरेंगे।

★ बादाम, काजू आदि में लौंग रख दीजिये, कीड़े नहीं लगेंगे।

★ खोपरे पर तेल चढ़ गया हो उसे एक घण्टा पानी में गलाकर फिर काम में लें।

★ खोपरे के बूरे को एयर टाइट डिब्बे में रखकर फ्रिज में रखें, तेल नहीं चढ़ेगा।

★ सूखे नारियल में फफूँदी न लगे, इसके लिए उसके दो टुकड़े करके उड़द की दाल के साथ रखें, फफूँदी नहीं लगेगी।

❖

जिस डिब्बे में बादाम रखे हैं उसमें तीन-चार चम्मच शक्कर डाल दें तो बादाम सालों साल खराब नहीं होंगे।

मसाले

★ अजवाइन, राई, सरसों, लौंग आदि पीसते समय थोड़ा–सा नमक डालने से वे आसानी से पिस जाते हैं।

★ गरम मसाले को डिब्बे में बन्द करके अंधेरे व ठण्डे स्थान पर रखें तो वह अधिक समय तक सुरक्षित रहेगा तथा उसकी खुशबू लम्बे समय तक बनी रहेगी।

★ गरम मसाले का स्वाद खराब न हो इसके लिए उसमें चुटकी भर हींग मिला दें।

★ साबुत मसालों के प्रयोग से व्यंजन का जायका व सुगन्ध दोनों बढ़ जाते हैं।

★ लहसुन, प्याज और हरी मिर्च में मौजूद तत्व खून को पतला रखते हैं, थक्का नहीं बनने देते, हृदय रोग की समस्या नहीं रहती अतः इसका उपयोग अपने रोज के भोजन में करें।

★ मेथीदाना, जीरा, अजवाइन को भूनकर पीस लें तथा सब्जी या दाल में इस्तेमाल करें। ये खाना जल्दी पचाते हैं।

★ कुटी पिसी, लाल मिर्च, हल्दी व धनिया को कीड़ों से बचाने के लिए उसमें हींग के तीन–चार टुकड़े डाल दें। लम्बे समय तक खराब नहीं होगी।

★ हींग गैस की समस्या से निजात दिलाती है।

★ मिर्च को मिक्सी में पीसते समय थोड़ा–सा नमक डाल दें, बारीक पिसेगी।

मेथीदाना में मौजूद रेशा ब्लडशुगर ठीक रखता है तथा कोलेस्ट्रॉल की मात्रा कम करता है।

★ लाल मिर्च को मिक्सी में पीसते समय तेल डालने पर वह आसानी से पिस जाती है तथा पीसते समय धाँसी भी नहीं आती। मिर्च का रंग अधिक सुर्ख व स्वाद भी बढ़िया हो जायेगा। साल भर इस मिर्च को रखने पर यह खराब नहीं होगी।

★ हल्दी सालभर के लिए जिस बर्तन में भरकर रखना हो उस बर्तन के नीचे व तली में चारों तरफ थोड़ा–सा घी का हाथ लगा दें। हल्दी का रंग वैसा ही रहेगा तथा बर्तन में चिपकेगी नहीं।

★ पिसी हुई हल्दी में जाले व कीड़े पडने से बचाने के लिए प्रति एक किलो में 50 ग्राम नमक डालकर अच्छी तरह मिला दें।

★ पिसे हुए धनिये में 5–6 लौंग पीसकर मिलाने से कीड़ा नहीं लगता।

★ इमली को लम्बे समय तक सुरक्षित रखने के लिए इसके बीज निकालकर धूप में सुखाकर हींग व नमक मिलाकर बर्नी में दबा–दबाकर भरें।

★ पिसी हल्दी में साबुत लाल मिर्च रखने से वह लम्बे समय तक खराब नहीं होती।

★ हींग की गंध बरकरार रखने के लिए हींग जितना नमक मिलाकर शीशी में भरकर रख दें।

★ **पाव भाजी मसाला**—20 ग्राम हल्दी, भुना धनिया 20 ग्राम, साबुत लाल मिर्च 20 ग्राम, जीरा 20 ग्राम, काली मिर्च 10 ग्राम, 20 ग्राम अमचूर, 5 ग्राम लौंग, 5 ग्राम सौंठ, 5 ग्राम मेथीदाना, 5 ग्राम तेज पत्ता, 5 ग्राम काला नमक सभी को पीसकर शीशी में भर लें।

★ **सांभर मसाला**—20 ग्राम साबुत धनिया, 10 ग्राम जीरा, 5 ग्राम काली मिर्च, 5 ग्राम चना दाल, 5 ग्राम उड़द दाल, 5 ग्राम अरहर दाल, 5 ग्राम मेथी दाना, 10–12 हरी पत्ते, ½ चम्मच हींग, 4 साबुत लाल मिर्च, एक चम्मच हल्दी, एक टुकड़ा सूखा नारियल, कड़ाही में जरा सा तेल गर्म करें, हल्दी छोड़कर सारे मसालों को भून लें। ठण्डा करके पीसें, हल्दी मिलायें, डिब्बे में भर दें।

★ **चना मसाला**—50 ग्राम साबुत धनिया, 50 ग्राम सूखी काचरी, 50 ग्राम अनारदाना, 25 ग्राम ज़ीरा, 20 ग्राम काली मिर्च, 8–10 लौंग, 8–10 सूखी लाल मिर्च, 10 ग्राम शाही जीरा, 10 ग्राम दाल चीनी, 25 ग्राम बड़ी इलायची, 10 ग्राम छोटी इलायची, 20 ग्राम काला नमक। नमक को छोड़कर सभी मसाले भून लें, ठण्डा होने पर नमक मिलाकर बारीक पीस लें।

★ **पानी पूरी मसाला**—4 बड़े चम्मच सूखा पोदीना, 2 छोटे चम्मच अमचूर पाउडर, 1 छोटा चम्मच भुना जीरा, 1 चम्मच लाल मिर्च, 2 छोटे चम्मच सादा नमक, एक छोटा चम्मच काला नमक, ¼ चम्मच टाटरी, ¼ चम्मच काली मिर्च। सबको एक साथ पीस लें।

पिसी हुई लाल मिर्च में नमक मिला देने से वह सालों खराब नहीं होती।

★ **दही मसाला**—4 चम्मच भुना पिसा जीरा, 2 चम्मच पोदीना, 2 चम्मच लाल मिर्च, 2 चम्मच सैंधा नमक, 1 चम्मच काला नमक, सबको मिला लें।

★ **दूध मसाला**—25 ग्राम छिले बादाम, 25 ग्राम पिस्ता, 1 चम्मच छोटी इलायची, ½ चम्मच जावित्री पाउडर, 5 ग्राम केसर लेकर सबको दरदरा पीसकर रखें। खीर या दूध में डालें।

★ **खुशबू वाला गरम मसाला**—6 दालचीनी के टुकड़े, 2 चम्मच बड़ी इलायची, 1 चम्मच लौंग, 1 चम्मच जावित्री, ½ जायफल, जायफल को छोड़कर सब मसाले सेंक लें, जायफल मिलाकर पीसें व शीशी में भर दें।

★ **काशमीरी गर्म मसाला**—4 बड़े चम्मच छोटी इलायची, 2 बड़े चम्मच काला जीरा, 2 बड़े चम्मच काली मिर्च, 6 टुकड़े दालचीनी, 1 चम्मच लौंग, 2 जायफल। जायफल छोड़कर सभी मसाले सेंक लें फिर सबको पीसकर शीशी में भर दें।

★ **ताजा मसाला**—4 चम्मच अदरक, 2 चम्मच लहसुन, 1 कप पोदीना, एक कप हरा धनिया, ½ कप सफेद सिरका, 2 चम्मच गर्म मसाला, 2 चम्मच हल्दी, स्वादानुसार नमक, सारे मसाले पीसकर 3/4 कप तेल में भून लें। ठण्डा करके शीशी में भर कर फ्रीज में रखें। जरूरत होने पर काम में लें।

★ **साधारण गर्म मसाला**—4 बड़े चम्मच जीरा, 4 बड़े चम्मच लौंग, 12 तेज पत्ता, 6 टुकड़े दालचीनी, 2 बड़े चम्मच काली मिर्च, ½ बड़े चम्मच जावित्री, 2 बड़े चम्मच पिसी सौंठ। जावित्री व सोंठ को छोड़कर बाकी मसालों को सेंक लें या दिन भर की धूप लगा दें। फिर जावित्री व सोंठ मिलाकर सबको पीस लें व एयरटाइट डिब्बे में भर दें।

★ **ताजा अचार मसाला**—एक किलो अचार के लिए, 200 ग्राम नमक, 75 ग्राम राई, 30 ग्राम हल्दी, 50 ग्राम लाल मिर्च, 50 ग्राम सौंफ, 30 ग्राम कलौंजी, 30 ग्राम मेथीदाना, ½ चम्मच हींग। नमक को छोड़कर थोड़े से तेल में सारे मसाले हल्के से भूनें व मोटा पीस लें। नमक मिलाएँ, एयरटाइट डिब्बे में बन्द कर दें। आम, मूली, गोभी, गाजर, किसी का भी अचार डालें।

❖

अचार बनाते समय सरसों के तेल में धुआँ उठने तक गरम करके मध्यम ठण्डा होने पर मसाले मिलायें।

24

जैम-जैली-मुरब्बा

जैम व जैली के लिए फल हमेशा कच्चे ही लेने चाहिये जिससे वह जल्दी जमेगी।

जैम बनाने से पहले गूदे में चीनी घोल लें, जब सारी चीनी घुल जाए तभी उसे गर्म करें, नहीं तो जैम का रंग फीका पड़ जाएगा।

जैम व जैली को अधिक समय तक सुरक्षित रखने के लिए उन्हें बोतल में भरने के बाद ऊपर मोम की परत जमाकर ढक्कन लगाएँ।

★ जैम बनाते समय बर्तन में थोड़ा-सा मक्खन भली-भाँति रगड़ दें जिससे पकाते समय जलेगा नहीं।

★ जैम, मुरब्बा बनाते समय चाशनी में यदि एक छोटा चम्मच ग्लिसरीन डालें, तो वह अधिक दिन सुरक्षित रहेगा, मुलायम व स्वादिष्ट होगा तथा इसकी चीनी भी नहीं जमेगी।

★ सूखे हुए जैम को नरम करने के लिए दो चम्मच उबलता पानी डालें तथा हिलायें।

★ यह देखने के लिए कि जैम ठीक बन गया है या नहीं, काँच के गिलास में ठण्डा पानी लें, उसमें एक बूँद जैम डालें। वह तली में बैठ जाये तो ठीक बन गया। यदि वह पानी में फैल जाये तो और पकाना चाहिये।

★ जैम की बोतल का ढक्कन ठण्डा होने पर लगाएँ।

★ सिट्रिक एसिड आँच पर से हटाकर डालना चाहिये।

★ प्लेट को गीला करके जैम या जैली उसमें पलटें तो वह प्लेट के बीच में गिरेगी।

★ जैली व जैम पाउडर गुनगुने पानी में घोलकर ठण्डे पानी में रखें तो वह शीघ्र जम जायेगी।

★ जैली को हाथ से निचोड़ने से उसका पारदर्शीपन चला जाएगा इसलिए रस अपने आप निचुड़ने दें।

★ मुरब्बे के लिए सेब उबालते समय पानी में चुटकी भर नमक मिलाने से मुरब्बा अधिक स्वादिष्ट होगा तथा चीनी कम लगेगी और वह अधिक दिन सुरक्षित रहेगा।

❖

सॉस

25

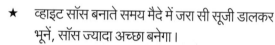

★ व्हाइट सॉस बनाते समय मैदे में जरा सी सूजी डालकर भूनें, सॉस ज्यादा अच्छा बनेगा।

★ सॉस को हमेशा गर्म–गर्म ही बोतलों में भरना चाहिये और तुरन्त ही ढक्कन लगा देना चाहिये।

★ 10 किग्रा. टमाटर में 150 ग्राम नमक, 10 ग्राम सोडियम बेंजोएट, 40 मिली ग्राम एसिटिक एसिड डालना चाहिये।

★ सोडियम बेंजोएट आँच पर ही डालें।

★ ग्लेशियल एसिटिक एसिड 4 ग्राम, सोडियम बेंजोएट 3.5 ग्राम, रंग 5 ग्राम, 8 ग्राम नमक ये सब चीजें एक चाय के चम्मच के लेवल के बराबर होती हैं।

★ टमाटो कैचप को नया रूप देने के लिए उसमें सूखा पोदीना 2 चम्मच, भुनी पिसी मूँगफली 2 चम्मच, भुना जीरा 1 चम्मच डालें।

सॉस की बोतल की तली में सॉस रह गया हो और निकल नहीं रहा हो तो बोतल को कुछ देर गरम पानी में रख दें। कुछ ही देर में सॉस बाहर होगा।

चटनी

26

धनिया की चटनी में अन्य मसालों के साथ आधा छोटा सफेद वाला सेब काट दें। स्वाद अनूठा हो जायेगा।

★ धनिया व पोदीने की चटनी में नीबू व नमक सर्व करते समय मिलाएँ। इससे चटनी का रंग व स्वाद अच्छा रहेगा।

★ धनिया व पोदीने की चटनी पीसते समय जरा सी मूँगफली या काजू के टुकड़े मिलाएँ। चटनी में गाढ़ापन आ जायेगा, स्वाद भी निराला हो जायेगा तथा रंग भी अच्छा आयेगा।

★ आँवले की चटनी पीसते समय थोड़ा-सा गीला नारियल डाल दिया जाये तो चटनी अधिक जायकेदार बनेगी।

★ किसी भी प्रकार की नमकीन चटनी में एक छोटा चम्मच पिघला मक्खन डाल देने से चटनी की पौष्टिकता व स्वाद बढ़ जाता है।

★ सेब के छिलकों को गुड़ और इमली डालकर पीस लें। इसमें नमक मिर्च व राई का छौंक लगायें। स्वादिष्ट खट्टी-मीठी चटनी बनेगी।

★ धनिया या पोदीने की चटनी बनाते समय इसमें 2-3 चम्मच दही मिला दें। इससे चटनी अधिक स्वादिष्ट और आकर्षक बनेगी।

★ नारियल का बूरा, भुनी मूँगफली पाउडर, लहसुन, हरी मिर्च, नमक और पिसी लाल मिर्च मिक्स कर लें। जब चाहें दही मिलाकर नारियल चटनी का स्वाद लें।

❖

27

दूध

★ दूध उबालते समय चुटकी भर खाने का सोडा मिलाकर उबालें, अधिक समय तक दूध फटने का भय नहीं रहता।

★ जले हुए दूध में पान के एक दो हरे पत्ते डालकर दुबारा गर्म करें, जलने की महक दूर हो जायेगी।

★ दूध तली में लगने से जलने की गंध आ रही हो तो उबलते दूध में एक चुटकी नमक डाल दें, दुर्गन्ध दूर हो जायेगी।

★ दूध जल गया हो तो दूध में मीठा खाने का सोड़ा चुटकी भर डालकर दूसरे बर्तन में उड़ेल दें, जले की बू जाती रहेगी।

★ बासी दूध फट जाने का डर हो तो उसे गर्म करने से पहले एक चम्मच मकई का आटा पानी में पेस्ट बनाकर मिला दें। दूध फटेगा नहीं।

★ दूध को पूरे दिन सुरक्षित रखने के लिए छोटी इलायची पीसकर डाल दें, दूध फटेगा नहीं।

★ दूध उबालने से पहले बर्तन में जरा सा पानी डालकर गर्म कर लें फिर दूध उबालें, दूध बर्तन के तले में नहीं लगेगा।

★ दूध को उबालते समय कढ़ाही या भगोने के किनारे पर घी या मक्खन लगा दें, दूध उफनकर नीचे नहीं गिरेगा।

★ छेद किया हुआ मोती, दूध के बर्तन में डालने से दूध उफनकर बाहर नहीं गिरता।

दूध उबालते समय एक चम्मच चीनी डालने से दूध अधिक समय तक सुरक्षित रहता है।

★ दूध के बर्तन को ठण्डे पानी में रखकर, उसे बारीक कपड़े से ऐसे ढकें कि उसके चारों सिरे पानी में लटकते रहें । इस प्रयोग से दूध अधिक समय तक सुरक्षित रखा जा सकता है ।

★ दूध को लच्छेदार या मलाईदार बनाना हो तो चुटकी भर फिटकरी का चूरा डाल दें ।

★ मावा बनाते समय थोड़ी सी फिटकरी डालने से मावा अधिक सफेद, दानेदार व स्वादिष्ट बनता है ।

★ उबले हुए दूध में थोड़ा–सा टार्टरिक एसिड (टाटरी) मिला देने से दही पाँच मिनट में जम जाता है, परन्तु यह दही खट्टा होगा ।

★ अगर दूध जल गया है तो 2–4 छोटी इलायची पीसकर डाल दें और दूसरे बर्तन में निकाल लें, दुर्गन्ध दूर हो जायेगी ।

★ दूध या मक्खन अगर जलकर बरतन में चिपक गया हो तो बरतन को कुछ देर गरम पानी में रखें ।

❖

मन्दी आँच पर दूध उबाला जाये तो मलाई अधिक जमती है ।

दूध गर्म करते समय उसमें स्टील की चम्मच डाल दें तो दूध जलेगा नहीं ।

28

चाय-कॉफी

फ्रिज में रखने से कॉफी पाउडर चिपकता नहीं है।

कॉफी बनाते समय चुटकी भर नमक डाल दें, उसका स्वाद व महक दो गुना बढ़ जायेगा।

अदरक के छिलकों को सुखाकर चाय पत्ती के डिब्बे में डाल दें। चाय सुगन्धित बनेगी।

कॉफी को स्वादिष्ट बनाने के लिए सर्व करने से पहले ऊपर कोको पाउडर डालें

चाय के उबल रहे पानी में सन्तरे का सूखा छिलका डाल दें। चाय सुगन्धित व महक वाली हो जायेगी।

★ बनी हुई कॉफी बचने पर फेंके नहीं, आइस ट्रे में डालकर फ्रीजर में रख दें। कोल्ड कॉफी बनाते समय सादी बर्फ की जगह इन आइस क्यूब्स को डालें।

★ कॉफी बनाते समय उसमें थोड़ा-सा बॉर्नविटा या बूस्ट डाल दें तो कॉफी का स्वाद निराला हो जायेगा। काफी पाउडर व चीनी फेंटते समय बॉर्नविटा मिलायें।

★ कॉफी पीने में कड़वी लगती हो तो चुटकी भर नमक डाल दें, कड़वाहट दूर हो जायेगी।

★ कॉफी जब खूब उबल जाये तो उसमें पानी का छींटा मार दें और ढककर रख दें। कॉफी नीचे बैठ जायेगी, बिना छानें कॉफी पियें।

★ चाय-कॉफी थर्मस में रखनी हो तो अन्दर के ढक्कन के नीचे एल्यूमिनियम फॉइल का टुकड़ा लगा दें। काफी समय तक चाय कॉफी खराब नहीं होगी, ठण्डी नहीं होगी तथा जायका बना रहेगा।

★ चाय बनाते समय दालचीनी का टुकड़ा डाल दें, खुशबूदार चाय तैयार है।

★ चाय की पत्ती को उपयोग में लाने से पहले 10 मिनट ओवन में रख दें फिर चाय बनायें, स्वाद बढ़ जायेगा।

★ दूध उबालकर चीनी मिलाकर थर्मस में भर दें। जब चाय पीनी हो तब चाय पत्ती डालें, थोड़ी देर थर्मस का ढक्कन बंद कर दें, चाय पियें। थर्मस में रखी चाय से यह चाय ज्यादा ताजा लगेगी।

❖

आइसक्रीम

29

पॉलीथिन की शीट आइसक्रीम के बर्तन के ऊपर लगा देने से आइसक्रीम में बर्फ के क्रिस्टल नहीं पड़ते हैं।

★ आइसक्रीम स्वादिष्ट बनाने के लिए फ्रिज को डिफ्रास्ट करें। फिर उसका तापमान अधिकतम करें। अब जिस बर्तन में आइसक्रीम जमानी है उसे दो घण्टे फ्रीजर में ठण्डा करके मिश्रण इस बर्तन में डालकर फ्रीजर में रखकर तापमान मध्यम कर दें। आइसक्रीम जम जाये तो फ्रिज नॉर्मल पर कर दें। इस प्रकार बनी हुई आइसक्रीम मुलायम, क्रीम युक्त व जल्दी बनेगी।

★ जिस कप या बर्तन में आइसक्रीम सर्व करनी है उसे सर्व करने से पहले फ्रिज में रखकर ठण्डा कर लें। आइसक्रीम खाते समय जल्दी पिघलेगी नहीं।

★ आइसक्रीम सर्व करने से पहले सर्विंग चम्मच को गर्म पानी में डालें। सर्व करने में आसानी रहेगी।

★ आइसक्रीम टिन को खूब अच्छी तरह से साफ करें।

★ गाढ़े दूध की आइसक्रीम अच्छी व जल्दी जमती है।

★ आइसक्रीम में सभी वस्तुओं की मात्रा ठीक होनी चाहिये।

★ आधी आइसक्रीम जमने पर उसे काँटे से या मिक्सी से फेंट कर दुबारा जमने के लिए रख दें। इससे आइसक्रीम में क्रिस्टल (बर्फ) नहीं पड़ते हैं तथा आइसक्रीम मुलायम जमती है।

★ मिल्क मेड का दूध आइसक्रीम के मिश्रण में मिला देने से आइसक्रीम स्वादिष्ट व जल्दी जमती है और चीनी भी कम पड़ती है।

- आइसक्रीम जमाने के लिए जहाँ तक हो सके एल्यूमिनियम का बर्तन उपयोग में लेना चाहिये। इससे आइसक्रीम जल्दी व अच्छी जमती है।
- आइसक्रीम मिश्रण को पहले फ्रिज में ठण्डा कर लें, इसके बाद ही आइसक्रीम को फ्रीजर में जमाने के लिए रखना चाहिये।
- आइसक्रीम टीन को हमेशा फॉइल पेपर से ढककर फ्रीजर में रखना चाहिये। इससे आइसक्रीम मुलायम जमती है व क्रिस्टल भी नहीं पड़ते।
- आइसक्रीम में बर्फ न जमे इसके लिए उबालकर ठण्डा किया दूध फ्रिजर में रखने से पहले आधा नीबू का रस मिला दें।
- आइसक्रीम में हमेशा एसेंस, कॉफी, कोको, चॉकलेट व चीनी अच्छी मात्रा में डालें। इससे आइसक्रीम स्वादिष्ट होगी तथा खुशबू भी अच्छी आयेगी।
- आइसक्रीम में यदि फल डालने हों तो पहले फलों को चीनी व क्रीम में मिलाकर रखें, फिर आइसक्रीम में ऊपर डालें।
- आइसक्रीम का दूध जब गाढ़ा हो जाये तो उसमें चुटकी भर नीबू का सत मिलायें, आइसक्रीम दानेदार बनेगी।
- आइसक्रीम बनाते समय दूध में थोड़ा–सा दूध पाउडर डाल दें तो आइसक्रीम मलाईदार, सॉफ्ट व स्वादिष्ट बनेगी। 1 किलो दूध में 1 कप मिल्क पाउडर डालें।
- आइसक्रीम में आइस क्रिस्टल न पड़े, इसके लिए दूध को गाढ़ा करें फिर उसमें एक चम्मच कॉर्न फ्लोर मिला दें, एक उबाला दुबारा दें। चाहें तो रोज सिरप मिला दें, स्वादिष्ट बनेगी।
- आइसक्रीम सॉफ्ट जमाने के लिए एक लीटर दूध में एक चम्मच जी.एम.सी., एक चम्मच सी.एम.सी., एक चम्मच चायना ग्रास को एक कप ठण्डे दूध में मिला लें तथा उबलते दूध में डालें ठण्डा करें फिर जमायें।
- बर्फ जमाने के लिए गर्म पानी का इस्तेमाल करें, बर्फ जल्दी तथा पारदर्शी जमेगी।
- बर्फ जिस दिन जमाते हैं उस दिन पारदर्शी व गंदगी रहित होती है। किन्तु जितनी पुरानी बर्फ होगी पारदर्शी नहीं रहेगी तथा उसमें गंदगी आ जायेगी। पुरानी बर्फ को पानी में डालकर देखें, पानी गंदा हो जायेगा।

❖

आइसक्रीम में एसेंस दूध ठण्डा होने के बाद डालें।

रात भर आइसक्रीम के मिश्रण को फ्रीजर में रखने से परिणाम अच्छे आते हैं।

30

डबल रोटी

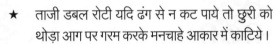

- ★ ताजी डबल रोटी यदि ढंग से न कट पाये तो छुरी को थोड़ा आग पर गरम करके मनचाहे आकार में काटिये।
- ★ पकौड़ों में बेकिंग पाउडर के स्थान पर सूखी डबलरोटी का चूरा मिलायें। पकौड़े कुरकुरे व स्वादिष्ट बनेंगे।
- ★ ब्रेड सूख गई हों तो उन्हें चलनी पर बिछा दें। भगोने में पानी खौलने लगे तो उस पर चलनी रख दें। थोड़ी देर में ब्रेड ताजी व नरम हो जायेगी।
- ★ सैंडविच बनाने के लिए ब्रैड के किनारे कैंची से काटें, साफ और जल्दी कटेंगे।
- ★ ब्रेड बॉक्स में ब्रैड के साथ एक बड़ा आलू रख दें, ब्रेड अधिक समय तक ताजा रहेगी।
- ★ ब्रेड तलने से पहले ब्रेड के दोनों तरफ मक्खन लगा दें, इससे घी कम खर्च होगा और ब्रेड मुलायम भी नहीं होगा।
- ★ सूखी हुई ब्रेड के ऊपर थोड़ा-सा दूध डालकर, अॅवन में मध्यम तापमान पर 15 मिनट रखें फिर खायें। ऐसी मिल्क ब्रेड पहले कभी नहीं खाई होगी।
- ★ ब्रेड को काटने से पहले 5 मिनट फ्रिज में रखें। सफाई से कटेगी।

❖

ब्रेड को तेल में भिगोकर तलें, तेल कम खर्च होगा तथा स्वाद भी अच्छा होगा।

31

कस्टर्ड पुडिंग

पुडिंग का स्वाद बढ़ाने के लिए उसमें 4-5 बूँदें नीबू के रस की डालें

कस्टर्ड में डाले जाने वाले दूध में यदि दूध का पाउडर मिला दें तो कस्टर्ड गाढ़ा व स्वादिष्ट बनेगा।

★ कस्टर्ड व पुडिंग पर थोड़ी–सी चॉकलेट घिस दें, स्वादिष्ट हो जायेगा।

★ कस्टर्ड बनाते समय यदि शक्कर के साथ थोड़ा–सा शहद भी मिलाएँ तो स्वाद व सुगन्ध दुगुना हो जायेगा।

★ कस्टर्ड पाउडर ठण्डे दूध में घोलें, हमेशा आँच से उतरे दूध में ही कस्टर्ड पाउडर मिला दूध डालें वरना गाँठें पड़ जायेंगी।

★ दही को बिलोकर कस्टर्ड व शक्कर मिलायें। फ्रूट कस्टर्ड हेतू अंगूर, अनार व केले काटकर इसमें डालें।

★ कस्टर्ड बनाते समय कच्चा दूध ही डालें, उबले हुए दूध से कस्टर्ड बेस्वाद हो जाता है।

★ गर्मियों में फ्रूट क्रीम बनाते समय पके आम के टुकड़े या अन्य फल पहले से ही क्रीम में न मिलाएँ। इससे क्रीम का स्वाद व रंग बदल जाता है। टुकड़े काटकर फ्रिज में रखें व सर्व करते समय ही मिलाएँ।

★ शहद कस्टर्ड ठण्डा हो जाये तब मिलायें।

★ गाढ़ी क्रीम बनाने के लिए पतली क्रीम में 3 बड़े चम्मच सॉफ्ट व्हाइट बटर मिला दें।

★ क्रीम फेंटते समय यदि क्रीम वाले बर्तन के नीचे बर्फ रख दी जाये तो क्रीम अपेक्षाकृत जल्दी और ज्यादा सॉफ्ट बनेगी, साथ ही इससे मक्खन बनने का खतरा भी नहीं रहेगा।

❖

32

शर्बत

* पेय की बोतल को हमेशा एक या डेढ़ इंच खाली छोड़कर भरना चाहिये।
* पेय को ज्यादा दिन रखना हो तो मोम को पिघलाकर ढक्कन के चारों तरफ लगा दें जिससे हवा अन्दर न जा पाए।
* बोतल पर हमेशा ढक्कन कसकर ही लगाएँ।
* पोटेशियम मेटाबाई सल्फाइड को पेय में घोलकर मिलाएँ।
* एक किलो शर्बत में 10 ग्राम मेटाबाई सल्फाइड मिलाना चाहिये।
* फलों के पेय में नीबू का रस या सिइट्रिक एसिड मिलाना चाहिये जिससे पेय में थोड़ी सी खटास आ जाये तथा वह स्वादिष्ट हो जाये।
* फलों का रस जिस रंग का हो उसी से मिलता–जुलता रंग मिलाने से पेय आकर्षक बनता है।
* यदि रस मीठा है तो एक किलो रस में पौन किलो चीनी डालनी चाहिये।
* यदि रस बहुत गाढ़ा है तो चीनी में थोड़ा–सा पानी मिलाकर चाशनी बना लें और रस में मिला दें जिससे रस पतला हो जाये।
* सिट्रिक एसिड 6 ग्राम, रंग 5 ग्राम, 8 ग्राम नमक तथा 6 से 7.5 ग्राम पोटेशियम मेटाबाई सल्फाइड ये सब चीजें एक चाय के चम्मच के लेवल के बराबर होती हैं।

यदि फल बहुत खट्टा है तो एक किलो रस में सवा किलो चीनी डालनी चाहिये।

★ यदि कोई पेय की बोतल खराब हो रही हो तो कम गहरे बर्तन में नीचे तौलिया बिछा दें फिर उसमें बोतल लिटा दें ऊपर से पानी भर दें। पानी में उबाल आ जाने पर बोतल को पानी में से निकालकर ठण्डी जगह पर रख दें।

★ आँवला या मुरब्बे के बचे हुए शोरे (चाशनी) में स्वाद के अनुसार काला नमक, पिसा जीरा, सादा नमक, काली मिर्च, सौंठ पिसी हुई, ठण्डे पानी में मिलाकर शर्बत की तरह पीयें। स्वादिष्ट, पौष्टिक, स्वास्थ्यवर्धक रहेगा।

★ नीबू का स्क्वैश बनाते समय नीबू का रस चाशनी ठण्डी होने के बाद डालें अन्यथा रस कड़वा हो जायेगा। इससे पौष्टिकता बरकरार रहेगी।

❖

नीबू के रस की आइस क्यूब बनाकर रख लें। शक्कर की चाशनी बनाकर रख लें। मेहमान आने पर पानी में शर्बत व आइस क्यूब डालने से शिकंजी तैयार हो जायेगी।

33

बिस्कुट

- ★ बिस्कुट या नमकीन व पापड़ कुछ सील रहे हों तो 3–4 घण्टे फ्रिज में रखने से वापस कुरकुरे हो जाते हैं।
- ★ सख्त, सूखे बिस्कुट को एयरटाइट डिब्बे में दो तीन ब्रेड तोड़कर रख दें, डिब्बा बन्द करके रात भर रख दें। बिस्कुट पहले जैसे हो जायेंगे।
- ★ गेहूँ के आटे के साथ थोड़ा–सा चावल का आटा मिलाने से बिस्कुट कुरकुरे बनेंगे।
- ★ बारिश के दिनों में बिस्कुट के डिब्बे में ब्लाटिंग पेपर रख देने से बिस्कुट सीलते नहीं।
- ★ मीठे बिस्कुट कुरकुरे रखने के लिए कंटेनर में एक चम्मच शक्कर डालकर बिस्कुट रखें। बिस्कुट लम्बे समय तक कुरकुरे ताजे बने रहेंगे।
- ★ बिस्कुट बेक होने पर फैलते हैं इसलिए इन्हें ट्रे में कुछ दूरी पर रखें तथा भूरा होने तक सेंकें।

❖

नमकीन बिस्कुट के मर्तबान में हल्का सा नमक डाल देने से वे कुरकुरे बने रहते हैं।

34

फ्रिज का रख–रखाव

फ्रीजर के दरवाजे पर बर्फ जमना रोकने के लिए किनारों पर नमक मल दें।

★ फ्रिज को बोरेक्स मिले पानी से साफ करें।

★ फ्रिज में कच्चा कोयला रखने से उसमें अप्रिय गंध नहीं आती।

★ फ्रिज में पोदीने की पत्तियाँ या नीबू काटकर रख दें। साग–सब्जी की गंध दूर हो जायेगी।

★ फ्रिज को यदि बन्द करके रखना है तो साफ करके कच्चा कोयला रख दें। बन्द फ्रिज में अप्रिय गंध नहीं आयेगी।

★ अच्छी तरह ढक्कन लगाकर फ्रिज में रखी चीजें अधिक समय तक अच्छी रहती हैं तथा एक चीज की गंध दूसरे में नहीं जाती।

★ फ्रिज में अप्रिय गंध आ रही हो तो एक कटोरी में खाने वाला चूना रख दें।

★ फ्रिज में अप्रिय गंध आ रही हो तो सारा सामान निकालकर नमक के पानी से पूरे फ्रिज को पोंछें तथा कुछ देर फ्रिज को खुला रहने दें।

★ फ्रिज में अप्रिय गंध आने पर खाने के सोडे से फ्रिज साफ करें।

★ एक कप में सोडियम बाई कार्बोनेट लेकर फ्रिज की तह में रख दें, बू दूर हो जायेगी।

★ फ्रिज की बाहरी सतह को थोड़ा–सा सोडा बाई–कार्ब पानी में मिलकर पोंछें, फ्रिज का पीलापन दूर हो जायेगा।

★ फ्रिज में अन्दर या गास्केट पर फफूँदी रोकने के लिए सफेद सिरका से पोंछें ।

★ फ्रिज को डिफ्रास्ट करने के बाद फ्रीजर कॉयल के ऊपर ग्लिसरीन की कोटिंग कर दें । अगली बार बर्फ आसानी से निकल जायेगी ।

★ फ्रिज में ठण्डे किये बेलन पर आटा नहीं चिपकता ।

★ फ्रिज से दुर्गन्ध दूर करने के लिए रुई पर वनीला एसेंस लगाकर रखें ।

★ फ्रिज से आ रही खाने की चीजों की महक को खत्म करने के लिए इसमें ताजा ब्रेड के कुछ स्लाइस रख दें ।

★ फ्रिज की रबर सील (गास्केट) मेथील टेड स्प्रिट से हर दो महीने में पोंछें, ऐसा करने से यह अधिक समय तक चलती है ।

★ अक्सर आइस ट्रे फ्रीजर में चिपक जाती है । ट्रे के नीचे प्लास्टिक पन्नी बिछायें, ट्रे आसानी से निकलेगी ।

★ फ्रीजर में बर्फ ट्रे चिपकने से बचाने के लिए ट्रे की तली पर थोड़ी सी ग्लिसरीन या तेल लगा दें ।

★ सर्दियों में फ्रिज डिफ्रास्ट करने पर यदि बर्फ गलने में ज्यादा समय लगे तो एक भगोने में पानी गर्म करके फ्रीजर में रख दें । फ्रीजर में बर्फ जल्दी पिघल जायेगी ।

❖

प्रेशर कुकर की गास्केट
हफ्ते में एक बार रात भर
फ्रिज में रखने से जल्दी
खराब नहीं होती ।

35

माँस-मछली

- मछली उबालते समय पानी में सिरका की कुछ बूँदें डाल देने से मछली सफेद रहती है और टूटती भी नहीं है।
- मछली की गंध हाथों से दूर करने के लिए पानी में सिरके की कुछ बूँदें मिलाकर हाथ धोयें। हाथों से गंध एकदम दूर हो जायेगी।
- मछली की दुर्गंध दूर करने के लिए हाथों को चावल के माँड से धोएँ।
- मछली तलते व पकाते समय फैलने वाली गंध दूर करने के लिए तलने से पूर्व कड़ाही में एक चम्मच सिरका डाल दें। मछली की गंध की किसी को खबर न होगी।
- मछली को सिरका मिले पानी से धोइए, मछली की गंध दूर हो जायेगी।
- आटे का चोकर लगाकर मछली को धोने से मछली की गंध दूर हो जायेगी।
- यदि बर्तन में से मछली की बू आ रही हो तो पानी में एक चम्मच पिसी हुई राई डालकर धोने से उसकी बू चली जाती है।
- मछली का काँटा गले में फँस जाए तो एक दो केले खा लीजिये।
- मछली पकाने के बाद बरतन को चावल के पानी से अच्छी तरह धो लें, इससे उसकी गंध दूर हो जायेगी।
- माँस-मछली को खराब होने से बचाने के लिए उसमें सिरका लगाकर रखें या सिरका मिले पानी से धोएँ, काफी समय तक ताजा रहेगी।
- मछली को बेसन लगाकर धोने से दुर्गंध दूर हो जाती है।
- गुड़ का पतला शर्बत बनाकर धोने से मछली की गन्ध दूर हो जाती है।
- मछली काटते समय अगर हाथ से फिसल रही हो तो हाथों पर नमक लगायें।
- मछली में अगर दुर्गन्ध आ रही हो तो तलने से पहले एक नीबू के रस मिले पानी में मछली को एक घण्टे तक भिगोकर रखें। दुर्गन्ध दूर हो जायेगी।
- मछली साफ करने से पहले उसे अखबार से अच्छी तरह पोंछ लें। मछली हाथों से नहीं फिसलेगी तथा साफ करने में सुविधा होगी।
- मछली तलते समय दुर्गन्ध आती हो तो तलते समय आलू के कुछ टुकड़े भी साथ में तलें, दुर्गन्ध नहीं आयेगी।
- मोटे चिकन या मछली की तरी पतली हो गई हो तो दही और अण्डे की जर्दी को फेंटकर डालें। तरी गाढ़ी हो जायेगी।
- चमकीली तथा छूने में सख्त मछली प्रायः ताजा होती है।

★ मछली में सुगन्ध व स्वाद बढ़ाने के लिए उसमें मसाला लगाकर केले के पत्ते में लपेटकर बेक करें। खाते समय जायका बदला हुआ महसूस करेंगे।

★ तेल में थोड़ी सी हल्दी छिड़ककर मछली तलें, तेल छिटकेगा नहीं।

★ मछली की गंध दूर करने के लिए कुछ देर उसे बेसन, सिरका तथा नमक के पेस्ट में लपेटकर रख दें। पकाने से पहले अच्छी तरह धो लें, गंध नहीं आयेगी।

★ मछली फ्राई करने से पहले उस पर हल्दी लगा दें। मछली बर्तन से नहीं चिपकेगी।

★ मछली को धोने व काटने से पहले हाथों पर थोड़ा-सा तेल लगा लें। दुर्गन्ध नहीं आयेगी।

★ नीबू-हल्दी लगाकर धोने से मछली की गंध दूर हो जायेगी।

★ माँस कड़ा हो तो कच्चा पपीता पीसकर डाल दें, गल जायेगा।

★ सख्त मीट में लहसुन डालकर उबालें, मीट मुलायम हो जायेगा तथा जल्दी पक जायेगा।

★ मीट फ्राई करने से पहले उस पर कच्चा पपीता दही में मिलाकर लगा दें फिर फ्राई करें। बहुत ही स्वादिष्ट फ्राई मीट बनेगा।

★ मीट यदि बहुत देर से गलता हो तो उसमें एक साबुत सुपारी डाल दें। मीट अच्छी तरह व जल्द गलेगा।

★ मटन बनाते समय गल न रहा हो तो उसमें अखबार का टुकड़ा डाल दें। इससे मटन फौरन गल जायेगा।

★ मीट पीसने के बाद मिक्सी के जार में लगी चिकनाई साफ करने के लिए उसमें एक ब्रेड पीस डालकर मिक्सी चलाएँ। सारी चिकनाई दूर हो जायेगी।

❖

बर्तनों से कच्चे अण्डे या मछली की दुर्गन्ध दूर करने के लिए इस्तेमाल की हुई चाय की गीली पत्तियों से बर्तनों को साफ करें। दुर्गन्ध दूर हो जायेगी।

36

अण्डा

★ आमलेट बनाते समय अण्डे में एक चम्मच नीबू का रस मिलाने से आमलेट नर्म व स्वादिष्ट बनता है और उसमें अण्डे की गंध नहीं आती है।

★ आमलेट बनाते समय मिश्रण में दही मिलाने से उसका स्वाद दोगुना ज्यादा हो जाता है।

★ आमलेट बनाते समय यदि एक चम्मच दूध मिला दें तो आमलेट खूब फैलेगा।

★ फ्रिज से निकाला अण्डा तुरन्त न फेंटें। थोड़ी देर बाहर रखने के बाद काम में लें। वरना आमलेट के स्वाद में अन्तर महसूस होगा।

★ आमलेट के लिए अण्डा फेंटते समय थोड़ा–सा ब्रेड का चूरा डाल दें तो आमलेट स्वादिष्ट बनेगा।

★ फ्राईंग पैन में थोड़ा–सा नमक गरम करके रगड़ दें, अब इसमें आमलेट बनाएँ, घी तेल की आवश्यकता नहीं पड़ेगी।

★ आमलेट बनाने के लिए अण्डा फेंटते समय एक चम्मच पानी डाल दें। आमलेट बड़ा व फूला हुआ बनेगा।

★ फ्राईंग पैन की तली व किनारे पर मक्खन लगा दें। अब स्कंबल्ड एग बनायें, अण्डा तली व किनारे पर नहीं चिपकेगा।

★ उबलते हुए अण्डे को उबलते पानी में से निकालकर तुरन्त ठण्डे पानी में डालने से अण्डे के पीले भाग के चारों ओर कालापन नहीं आता तथा छिलका आसानी से उतर जाता है।

★ अण्डा उबालते समय पानी में थोड़ा–सा नमक डाल देने से अण्डे का छिलका आसानी से उतर जाता है।

★ उबला अण्डा छीलकर ठण्डे पानी में डाल दें, ज्यादा देर तक ताजा बना रहेगा।

★ चटका हुआ अण्डा उबालना हो तो पानी में थोड़ा–सा सिरका मिला दें। अण्डा पानी में फैलेगा नहीं।

★ अण्डे की जर्दी अलग करनी हो तो अण्डा तोड़कर प्लेट में डालें और ऊपर से गिलास रख दें। सफेदी व जर्दी अलग हो जायेगी।

★ अण्डे के व्यंजनों को देर तक न पकाएँ, व्यंजन खराब हो जाएगा।

★ चटका हुआ अण्डा यदि तुरन्त प्रयोग नहीं करना है तो उस पर सैलो टेप लगा दें, जल्दी खराब नहीं होगा।

★ फ्रिज में अण्डे रखते समय उनका नुकीला भाग नीचे की ओर रखें, अधिक समय तक ताजा बने रहेंगे।

★ कच्चे अण्डे की सफेदी गिर गई हो तो उस पर थोड़ा–सा नमक छिड़क दें। सूखने पर झाड़ू से साफ कर दें।

★ बर्तनों से कच्चे अण्डे की गंध दूर करने के लिए सिरका रगड़ दें।

★ अंडों पर घी लगाने के बाद उनको फ्रिज में रखने की जरूरत नहीं पड़ती।

★ आमलेट बनाते वक्त अण्डे को तोड़कर उसमें थोड़ा दूध व चने का आटा डाल दें। आमलेट ज्यादा स्वादिष्ट बनेगा।

❖

अन्य प्रयोग

★ पोदीने की पत्तियों को पीसकर आइस ट्रे में जमा दें, जमने पर निकाल कर पॉलीपैक में डालकर रख दें। जलजीरा, कैरी का पन्ना बनाते समय इन्हें काम में लें।

★ मैदा व बेसन में करेले के सूखे छिलके रखने से वे खराब नहीं होते।

★ हरी मिर्च काटने के बाद इमली के पानी से हाथ धो लेने से हाथ में जलन नहीं होती या नारियल का तेल या गुड़ हाथों में से मसल लें, जलन दूर हो जायेगी।

★ बेसन के व्यंजन में हींग और अजवाइन का प्रयोग अवश्य करें। इससे व्यंजन सुपाच्य और स्वादिष्ट हो जायेगा।

★ आटे व शक्कर में कपूर का पैकेट रखने से चींटियाँ या कीड़े नहीं पड़ेंगे।

★ हरा धनिया या पोदीने के अभाव में करी पत्ता का उपयोग सब्जी में करें तथा इसकी चटनी बनायें।

★ चीनी में चींटियाँ आ रही हैं तो कुछ लौंग डाल दें, चींटियाँ भाग जायेंगी।

★ चीनी में चींटियाँ आ रही हैं तो कंटेनर के किनारों पर थोड़ा-सा कैस्टर ऑयल लगा दें, चींटियाँ भाग जायेंगी।

★ शहद की बोतल में चींटियाँ न घुसें, इसके लिए बोतल में दो-चार लौंग डाल दें।

हरा धनिया मुरझा गया हो तो डण्ठल काटकर कुछ देर गरम पानी में रखें। फिर से ताजा जैस खिल जायेगा।

★ पोदीने को छाया में सुखाकर एयरटाइट डिब्बे में रखने से वह लम्बे समय तक हरा रहता है। हरी पत्तियाँ एयरटाइड डिब्बे में रखकर फ्रिज में रखें तो लम्बे समय तक ताजा रहेंगी।

★ मूँगफली को छलनी में रखकर उबलते पानी में डालें और निकाल लें। थोड़ी देर बाद भूनें। मूँगफली हल्की व करारी होगी।

★ गुड़ को कीड़े मकोड़ों से सुरक्षित रखने के लिए उस पर सूखी मेथी की पत्तियाँ रगड़ दें।

★ प्याज लहसुन की गंध मुँह से दूर करने के लिए छोटा सा गुड़ का टुकड़ा चबाएँ।

★ **नारियल** के ऊपर के बाल निकालकर उसे रात भर गरम पानी में पड़ा रहने दें। सुबह हल्की सी चोट से गिरी व खोल सरलता से अलग हो जायेंगे।

★ नारियल की जटा साफ करके गोले पर बीचों-बीच पानी की लकीर खींच दें, नारियल बराबर दो भागों में टूट जायेगा।

★ नारियल का छिलका आसानी से निकालने के लिए उसे आधे घण्टे पानी में डालकर रखें।

★ नारियल को तोड़कर इसे कुछ घण्टे फ्रिज में रख दें। नारियल खोखे से आसानी से निकल जायेगा।

★ अनाज में अखबार के टुकड़े डालने से उसमें कीड़े नहीं लगेंगे।

★ सौंफ, खसखस, तिल भूनकर रखें, खराब नहीं होंगे।

★ गैस लाइटर में चिंगारी नहीं निकल रही हो तो इसे जरा सा पेट्रोल डालकर साफ करें। चिंगारी निकलने की तरफ से जोर से फूँक मारें। वह पुनः काम करने लगेगा।

★ जंग लगे चाकू पर कच्चा आलू या बेकिंग सोडा रगड़ने से वह साफ हो जाता है।

★ चाकू या बर्तनों से प्याज लहसुन की बू आ रही हो तो उन पर नीबू रगड़ दें।

★ पदार्थ जलकर बर्तन में चिपक गया हो तो 2-3 टुकड़े प्याज के पानी में डालकर उबालें, जला पदार्थ निकल जायेगा।

★ जले हुए बर्तन को साफ करने के लिए एक बड़ा चम्मच बेकिंग सोडा थोड़े से पानी में घोलकर जले बर्तन में घण्टे भर के लिए डाल दें। फिर पानी से धोएँ, बर्तन साफ हो जायेगा।

★ नमकदानी को सीलन से बचाने के लिए उसमें ब्लाटिंग पेपर रख दें।

★ नमकदानी या नमक के बर्तन में अकसर सीलन आ जाती है। इसलिए इसमें कुछ दाने चावल के डाल दें।

★ कुकर की गास्केट ढीली हो जाए तो उसे आधा घण्टे फ्रिज में रख दें, वह टाइट हो जायेगी। गास्केट को कभी भी गरम पानी से न धोयें।

★ खाना बनाने के बाद आने वाली गन्ध को दूर करने के लिए खुले बरतन में दो कप पानी लें, उसमें थोड़ी सी पिसी लौंग व दालचीनी डालकर उबालें, ढकें नहीं। इसकी भाप से रसोई की गन्ध दूर हो जायेगी।

★ तवे पर लौंग या काफी पाउडर या चीनी डालकर जला दें। इस धुएँ से रसोई में खाद्य पदार्थों की गन्ध मिट जायेगी।

★ रसोई के प्लेटफार्म पर चींटियाँ हों तो पोदीने की टहनियाँ रख दें।

★ रसोई में बहुत ज्यादा चींटियाँ हो गई हैं तो चुटकी भर सुहागा बुरक दें, चींटियाँ भाग जायेंगी।

★ रसोई में मक्खी मच्छर हो तो चाय बनाने के बाद चाय की पत्तियों को अँगीठी में डालकर धुआँ कर दें। मक्खी मच्छर भाग जायेंगे।

★ बरसात में माचिस को चाय पत्ती के डिब्बे में रखें। उससे माचिस नहीं सीलेगी।

★ हाथों से लहसुन प्याज की गंध आ रही हो तो टूथपेस्ट रगड़े।

- ★ चाय की बची पत्तियों को जब वे न बिल्कुल सूखी हों और न एकदम गीली हों, चिकने बर्तनों पर रगड़ने से चिकनाई आसानी से हट जाती है।
- ★ क्रॉकरी या बर्तनों को साफ करने के लिए चाय की पत्तियों में एक चुटकी विम मिलाकर रगड़ें, बर्तन बहुत आसानी से साफ हो जायेंगे।
- ★ मिट्टी के तेल की गंध हाथों में आ रही हो तो दही मक्खन रगड़ लें।
- ★ उपभोग के बाद बची चटनी को फेंकें नहीं, इस चटनी से पीतल, ताँबे के बर्तन चमका लें।
- ★ बर्तन आपस में फँस गये हों तो ग्लिसरीन लगाने से आसानी से निकल जायेंगे।
- ★ चीनी के बर्तन पर चाय या कॉफी के दाग हों तो गीले कपड़े में बोरेक्स या खाने का सोडा लगाकर धोने से बर्तन बिल्कुल साफ हो जायेंगे।
- ★ कप पर लगे चाय–कॉफी के दाग नमक रगड़ने से साफ हो जायेंगे।
- ★ कुकर पतीली का मैल छुड़ाने के लिए दो चम्मच बोरेक्स पानी में मिलाकर 15 मिनट उबालें।
- ★ रोटी पराठे बनाने से तवा काला हो जाता है, इमली के गाढ़े गूदे को डालने से या बची चटनी को डालने से तवा तुरन्त साफ हो जाता है।
- ★ गैस स्टोव गंदा हो गया हो तो मिन्ट या नेल पॉलिश रिमूवर या नमक मिले गरम पानी से साफ करें।
- ★ गैस बर्नर गंदा हो जाने से ठीक से नहीं जलता हो तो रात भर खाने का सोडा मिले पानी में रखें। सारी गन्दगी साफ हो जायेगी।
- ★ तवे व कड़ाही को नॉन–स्टिक बनाने के लिए उस पर प्याज अच्छी तरह रगड़ दें।
- ★ सादे तवे, कड़ाही व फ्राईंग पैन को नॉन–स्टिक बनाने के लिए इन पर कुछ देर नमक भूनकर हटा दें फिर घी या तेल लगाकर कुछ भी बनाएँ, चिपकेगा नहीं।
- ★ नॉन–स्टिक बर्तनों की सफाई सिरके से करें।
- ★ मट्ठे में थोड़ा–सा नमक डालकर थर्मस में थोड़ी देर के लिए रख दें, फिर अच्छी तरह घोलें।
- ★ अधिक ताप के कारण स्टील के बर्तनों पर दाग पड़ जायें तो सिरका रगड़ने से दाग दूर हो जायेंगे।
- ★ बंद थर्मस में से बू आ रही हो तो थोड़ा–सा सिरका डालकर रखें। पानी से धो लें, बू दूर हो जायेगी।
- ★ एल्यूमीनियम के बर्तनों का रंग फीका पड़ जाये तो सिरका मिले पानी में उबालने से बर्तन चमक उठते हैं। या नीबू डालकर उबालने से भीतरी सतह साफ हो जायेगी।
- ★ एल्यूमिनियम के बर्तन यदि जल जायें तो उसमें एक प्याज उबालें, बर्तन आसानी से साफ हो जायेंगे।
- ★ आलू के छिलकों से पीतल ताँबे के बर्तन साफ करें, चमक जायेंगे।
- ★ बर्तन धोते समय डिटर्जेंट में थोड़ा–सा नमक मिला लें, बर्तन चमक उठेंगे।
- ★ सर्दियों में खमीर लाने के लिए मिश्रण को एयरटाइट डिब्बे में रखकर धूप में रखें। कुछ ही घण्टों में खमीर आ जायेगा।
- ★ रोटी बनाने के बाद तवे पर थोड़ा–सा नमक लगा देने से तवा साफ हो जाता है।
- ★ बोतल में लगातार पानी रखने से दुर्गंध और पीलापन दूर करने के लिए थोड़ा–सा पानी डालकर एक चम्मच बेकिंग सोडा डालकर, उसे अच्छे से हिलायें। कुछ देर रखें, फिर धो लें।
- ★ गैस सिलेंडर रखने के स्थान पर मोम पिघलाकर डाल दें। उस पर सिलेंडर रखें, निशान नहीं पड़ेगें।
- ★ मिक्सी में किसी भी खाद्य पदार्थ की गंध आ रही है तो थोड़ा–सा आटा डालकर मिक्सी चला दें। गंध दूर हो जायेगी।
- ★ कपूर में काली मिर्च के दाने रखने से कपूर नहीं उड़ेगा।

- ★ गर्मियों में सब्जियाँ मुरझा जाती हैं तथा पिलपिली हो जाती हैं। उन्हें बर्फ के ठण्डे पानी में रखा जाये तो कुछ देर में वे वापस तरोताजा हो जायेंगी।
- ★ लोहे की कड़ाही में खट्टी चीज़े नहीं पकायें। इससे खाद्य पदार्थ काला पड़ जाता है तथा थोड़ी–सी कड़वाहट भी आ जाती है।
- ★ किसी पार्टी–फंक्शन में बचे हुए सलाद को पकाकर पावभाजी बना लें।
- ★ किचन के कोने में बेकिंग पाउडर छिड़कने से कॉकरोच नहीं आयेंगे।
- ★ लोहे के बर्तन को गर्म करके उसमें 1-2 कपूर की गोलियाँ रख दें। किचन में मक्खियाँ नहीं आयेंगी।

❖

मूँगफली को बालू मिट्टी में नमक डालकर सेंकें तो स्वाद लाजवाब लगेगा।

गर्भावस्था एवं
प्रसव ज्ञान

P·B·D

एक कदम

माँ

डॉ. राजेश्वर जैन
रीतिका ए. गाँधी

बनने की राह पर

सूर्य स्नान के हैं लाभ अनेक

दर्द रहित प्रसव कैसे?

घरेलू नुस्खे सरल प्रसव के लिये

स्टैम सैल देता है नया जीवन

मनपसन्द संतान कैसे?

गर्भवती को कितना पोषण चाहिए?

विशेष: गर्भावस्था के दौरान होने वाली
सामान्य परेशानियाँ व निदान

❋ सरल योगासन एवं व्यायाम के **38** श्वेत-श्याम चित्र

विभिन्न लेखकों द्वारा लिखित बहुचर्चित उपयोगी पुस्तकें:

डॉ. गणेश नारायण चौहान

भोजन के द्वारा चिकित्सा–1	100.00	भोजन के द्वारा चिकित्सा–2		60.00
क्या खायें और क्यों	100.00	शक्तिवर्द्धक भोजन		65.00
स्वदेशी चिकित्सा के सफल प्रयोग	100.00	पाचनतंत्र रोगों की प्राकृतिक चिकित्सा		80.00
अनुभूत चिकित्सा योग डॉ. चौहान, डॉ. त्रिवेदी	80.00	मसालों द्वारा चिकित्सा		100.00
सामान्य रोगों की सरल चिकित्सा	190.00	रूपनिखार		80.00
—डॉ. चौहान, डॉ. राजकुमारी गुप्ता		होम्योपैथी व्यवहारिक चिकित्सा सार		150.00
कमर दर्द से मुक्ति (NEW)	70.00	घुटनों के दर्द से मुक्ति (NEW)		प्रेस में
कैंसर की योग एवं प्राकृतिक चिकित्सा	70.00	रेकी से चिकित्सा कैसे करें		80.00
—डॉ. ए.यू. रहमान		—डॉ. देवेन्द्र जैन		
एक्यूप्रेशर (प्राण–पद्धति)	120.00	चुम्बकीय चिकित्सा डॉ. पीयूष त्रिवेदी		60.00
डॉ. पीयूष त्रिवेदी (रंगीन चार्ट सहित)		दाँतों के रोग अरविन्द सोढानी		70.00
योग द्वारा सौंदर्य श्रीमती सुशीला गहलोत	90.00	एरोबिक्स टुडे श्रीमती सुशीला गहलोत		350.00
आहार चिकित्सा श्रीमती राज. गुप्ता	100.00	सूर्य रश्मि द्वारा चिकित्सा श्रीमती राज. गुप्ता		60.00
बिना दवा इलाज डॉ. जयमाला जशनानी	90.00	स्वास्थ्य सबके लिए डॉ. जीवनलाल गाँधी		90.00
वास्तु सम्मत अपना घर कमलेश गुप्ता	225.00	हृदय...रोगों की चिकित्सा डॉ. विष्णु जैन		120.00

डॉ. एन. के. शर्मा

प्राकृतिक आहार के चमत्कार	80.00	सही पकाइये रोग भगाइये	60.00
स्वादिष्ट प्राकृतिक व्यंजन	60.00	एक कदम माँ बनने की राह पर डॉ. सरस्वर, गाँधी	200.00

घर का वैद्य सीरीज

ग्वारपाठा	डॉ. चौहान, डॉ. त्रिवेदी	50.00	मेवों द्वारा चिकित्सा डॉ. चौहान	50.00
गेहूँ के जवारे	डॉ. सुरेन्द्र कपिल	30.00	गाजर, मूली और टमाटर डॉ. चौहान	40.00
शहद	युगप्रभा रस्तोगी	30.00	लहसुन एवं प्याज डॉ. चौहान	30.00
नीबू	श्रीमती राजकुमारी गुप्ता	30.00	तुलसी श्रीमती राजकुमारी गुप्ता	40.00
अदरक	श्रीमती राजकुमारी गुप्ता	30.00	हल्दी–हींग श्रीमती राजकुमारी गुप्ता	30.00
हरड़	डॉ. अनुराग विजयवर्गीय	30.00	बहेड़ा डॉ. अनुराग विजयवर्गीय	30.00
आँवला	डॉ. अनुराग विजयवर्गीय	30.00	प्राकृतिक स्वास्थ्य एवं सौन्दर्य डॉ. सुरेन्द्र कपिल	40.00
कब्ज की प्राकृतिक चिकित्सा डॉ. राजीव स्तोगी	30.00	प्राकृतिक उपचार की विधियाँ डॉ. राजीव स्तोगी	30.00

श्रीमती राजकुमारी गुप्ता

इनको भी आजमाइये	60.00	शरीर और सौन्दर्य	65.00
स्त्री एवं बाल रोग चिकित्सा	60.00	किचिन क्वीन टिप्स	90.00

✿ श्रीमती मिथिलेश गुप्ता द्वारा लिखित: **कुकरी सीरीज**

शाकाहारी व्यंजन विधियाँ	190.00	दावतों–पार्टियों के मेन्यू राजकुमारी डोंगरा	70.00
रसेदार सब्जियाँ	60.00	अनूठे राजस्थानी व्यंजन राजबाला सिंघी	60.00
सूप और सलाद	60.00	रोटी, पराँठा, पूरी, कचौड़ी, नान–बाटी	60.00
आचार, चटनी और मुरब्बे	60.00	कढ़ी, दाल और पुलाव	60.00
केक, ब्रेड और बिस्किट	60.00	स्वादिष्ट मिठाईयाँ	60.00
रायता और विविध नमकीन	60.00	आइसक्रीम, शेक और शर्बत	60.00
सफल जीवन की राहें प्रो. राजेन्द्र गर्ग	80.00	हिंदी व्याकरण कामताप्रसाद गुरु	180.00

डॉ. नागेन्द्र कुमार नीरज

मधुमेह लाइलाज नहीं है	95.00	प्राकृतिक चिकित्सा एवं योग	160.00
मेरा आहार मेरा स्वास्थ्य–1	125.00	पेट के रोगों की प्राकृतिक चिकित्सा	80.00
मेरा आहार मेरा स्वास्थ्य–2	125.00	रक्ताल्पता की प्राकृतिक चिकित्सा	80.00
मेरा आहार मेरा स्वास्थ्य–3	125.00	असाध्य रोगों की सरल चिकित्सा	120.00

ENGLISH BOOKS

Populars—Foods That Heal	Dr. Chauhan	300.00
Aloevera (New)	Dr. Chauhan, Dr. Trivedi	75.00
Better Sight Without Glasses (New)	Dr. R.S. Agarwal	75.00
Miracles of Naturopathy & Yogic Sciences	Dr. Nagendra K. Neeraj	400.00
Wheat Grass Juice	Dr. S. Kapil	75.00
Miraculous Morning Walk	Dr. V.K. Narula	200.00
General English	R.P. Bhatnagar	100.00

बॉक्स में लिखित सभी पुस्तकों को भारत सरकार, स्वास्थ्य और परिवार कल्याण मंत्रालय, नई दिल्ली, द्वारा पुरस्कृत किया गया है।

• बिना किसी सूचना के समयानुसार मूल्य परिवर्तनीय • इससे पूर्व की मूल्य सूची निरस्त समझी जाये ।